성공적인 주식투자로

큰부자 되시길 기원합니다.

남 석관 올림

손실 없는 투자원칙

* 본 도서의 판매금액 중 10%(저자 인세)가 비영리 공익법인에 전액 기부됩니다.

* 남석관 사칭 주의!
유료강좌, 텔레그램, 카카오톡 오픈방 등 SNS를 이용한 증권리딩방, 회원관리, 정보제공 등 독자나 일반 투자자를 대상으로 한 일체의 영업·영리 행위를 일절 하지 않습니다. '남석관 사칭'에 유의하시기 바랍니다.

손실 없는 투자원칙

대한민국 최상위 슈퍼개미의
저점매수 고점매도

BUY

SELL

A PROFITABLE STOCK INVESTMENT

남석관 지음

모루

들어가는 글

4년 만에 다시 책을 쓰게 되었습니다. 어느새 세 번째 이야기입니다. 어쩌면 필자 인생에서 마지막 주식투자 책이 될 수도 있어 생각이 많았습니다. 누구나 그럴듯 복잡한 내용을 어떻게 풀어 전달할지, 그리고 투자자에게 실질적으로 도움이 되는 주식 이야기가 무엇일지 오랫동안 고민했습니다. 그동안 필자가 투자를 해오며 느낀 경험과 주식 매매법을 가감 없이 정리해 소개하면 여러분에게 조금이나마 도움이 될 거라는 결론을 내렸습니다. 주식투자 경험과 투자 성과를 책과 방송, 그리고 경제매체 인터뷰를 통해 솔직히 공유하는 일이 필자에게 주어진 의무라는 생각도 해봅니다.

필자의 첫 책《실전 투자의 정석》과 두 번째 책《평생 부자로 사는 주식투자》에 보내주신 많은 분의 성원과 격려를 잊지 못합니다. 늦었지만 감사의 말씀을 전합니다. 앞선 책들이 투자자의 실전 주식투자에 적용하는 데 다소 한계가 있다는 것도 잘 압니다. 그래서 이번에는 실질적으로 주식투자에 도움이 되는 내용, 즉 매매법을 담아야겠다는 생각으로 원고를 썼습니다. 주관적인 경험을 글로 충분히 설명하기에는 한계가 있었습니다. 그래서 무거운 책임감을 느낍니다. 몇몇 이야기는 기존 책에서 소개한 내용과 중복되기도 합니다. 그러나 이는 주식투자에서 무척 중요한 내용이기에 필자가 반복해 강조하는 이야기이란 걸 이해해 주시기 바랍니다.

주식투자에서 우리가 바라는 최고의 가치(價値)와 선(善)은 돈을 버는 일입니다. 그래서 필자는 주식투자로 돈 버는 두 가지 방법인 '배당'과 주식 매매 이야기에 집중했습니다. 'PART 1'과 'PART 2'는 주식투자자가 기본으로 알아야 하는 내용입니다. 그리고 이후의 내용이 여러분과 공유하는 실전 매매법입니다. 일반 투자자가 실전에서 가장 어려워하는 일이 저점매수와 고점매도일 것입니다. 제 이야기가 여러분의 주식투자에 충분히 도움이 될 것으로 생각합니다. 최선을 다했지만, 내용이 완벽할 수는 없을 것입니다. 또 여러 주식투자서가 소개하는 수익 내는 방법도 매우 다양합니다. 실력 있는 투자자라도 누구나 장단점이 있습니다. 다만, 필자는 전업으로 투자를 시작한 이후 23년 동안 단 한 번도 마이너스 수익을 내본 해가 없습니다(2022년 약손실). 단기투자와 중장기투자에서 모두 수익을 낼 수 있다는 것이 장점이라고 생각합니다.

오랜 시간 필자 몸에 익어 때때로 감각적으로 대응하는 매매법을 글로 설명하자니 쉽지만은 않았습니다. 자꾸 반복해서 읽고 투자에 적용하여 여러분 스스로 성공 확률이 높은 투자방법을 만들어가는 수밖에 없습니다. 제대로 배우고 익힌 주식투자 방법으로 여러분도 큰 수익, 대 시세를 만들 수 있다는 믿음을 가져보시기 바랍니다.

세상은 급변합니다. 그 변화가 고스란히 녹아 있는 곳이 주식시장입니다. 가치주 투자나 성장주 투자를 논하는 건, 주식시장에서는 진부한 이야기가 되어버렸습니다. 2020년 코로나 팬데믹 이후 많은 신규 투자자가 주식시장에 진입했습니다. 근로 수익만으로는 행복한 삶을 살아가기 힘든 세상입니다. 당연히 세상살이가 돈이 전부는 아니라지만, 돈이 부족하면 그만큼 삶의 질이 떨어질 수밖에 없습니다. 요즘은 남녀노소 누구나 할 것 없이 투자가 일상화되었고 대화의 중심이 되었습니다. 앞으로 더 많은 사람이 주식투자에 관심을 가질 것으로 생각합니다. 이렇듯 투자 행위는 자본주의 시스템에 적응하며 살아가는 데 꼭 필요한 일이기도 합니다.

주식투자에 입문한 지 37년, 전업투자자의 삶을 살아온 지도 어느새 23년째입니다. 국내 최상위 증권사가 개최한 '실전 투자대회'에서 여섯 차례 1, 2등을 수상했습니다. 당연히 운도 많이 따라주었기에 그런 성과를 낼 수 있었습니다. 변동성이 심해 꾸준히 수익을 내기 어려운 주식시장에서 필자가 이런 성과를 낼 수 있었던 이유는 두 가지 원칙을 세워 실천했기 때문입니다.

첫 번째는 '사고의 유연함'입니다. 변동성이 큰 시장에서 지수나 주가를 예측하는 일은 불가능한 일입니다. 이때 필요한 것이 사고의 유연함입니다. 시대 흐름에 맞는 생각, 새로운 기회를 찾으려는 시각, 잘못된 투자 습관을 교정하는 용기가 사고의 유연함입니다. 그러고 나서 수중에 현금이 있다면 시장은 새로운 기회를 우리에게 알려줍니다. 사고의 유연함이야말로 투자자가 갖추어야 할 필수 요소입니다.

두 번째는 '손절'을 피하거나 두려워하지 말아야 합니다. 재기할 수 없는 상황에 몰리기 전에 과감히 손절할 줄 알아야 다음 기회를 도모하여 다시 일어설 수 있습니다. 많은 이야기를 소개하겠지만 방금 말한 두 가지 원칙만 기억하고 실천해도 시장에서 선방할 수 있습니다. 책 한 권에 주식투자의 방대한 내용을 모두 담을 수는 없습니다. 그러나 독자 여러분의 주식투자에 분명 도움이 될 이야기가 책 어딘가에 담겨 있다면 그것으로 충분합니다.

책이 나오기까지 많은 도움이 있었습니다. 초고를 함께 검토하며 교정에 수고를 아끼지 않은 이홍규, 장철균 연구원에게 감사의 말을 전합니다. 모루 출판사에서도 아낌없이 큰 도움을 주셨습니다. 그리고 오랜 세월 뒤에서 묵묵히 필자를 믿으며 지원해준 아내와 어느새 장성하여 가정을 꾸리게 된 아들, 자신의 자리에서 치열한 삶을 살아가는 딸에게도 고맙다는 말을 전하고 싶습니다.

끝으로 모든 독자 여러분의 앞날에 큰 행운이 따르기를 바랍니다. 특히 주식투자자 여러분의 성투와 큰 수익(대 시세)을 필자도 간절히 기원하고 응원합니다.

우담(雨潭), 남석관 올림

차례

BUY
SELL

A PROFITABLE

PART 1

주식투자로 자산을 키우는 두 가지 방법

STOCK INVESTMENT

Intro

금융투자(金融投資)의 본질

금융투자란 〈자본시장과 금융투자업에 관한 법률〉에 따라 투자금액(원금)의 손실이 발생할 수 있는 투자를 말한다. 반대로 원금 손실 가능성이 거의 없는 은행 예금은 금융투자라고 말하지 않는다. 그래서 금융투자 시에는 늘 원금 손실을 염두에 두어야 한다. 대표적인 예로 부동산과 주식을 간단히 비교함으로써 독자 여러분의 이해를 돕고자 한다.

부동산투자(토지 및 주택 등)는 매입 후 시간이 지남에 따라 부동산 가격이 상승하면 시세차익(매도금액-매입원금)과 임대수익(전세나 월세 등)이 발생한다. 다만, 부동산 가격이 하락하면 시세에 따른 손해가 발생하지만, 일반적으로 임대수익은 고정적으로 발생한다.

주식투자도 부동산과 비슷하다. 주식을 매수한 후 시간이 흘러 매수한 금액보다 가격이 상승하면 시세차익을 얻지만, 반대로 하락하면 손해를 보기도 한다. 그런데 주식의 경우 시세차익이나 손해와 관계없이 별도로 배당을 받는 권리(물론, 배당이 없는 개별종목도 있다)가 주어지기도 한다. 정리하면, 우리가 주식투자로 수익을 기대하는 방법은 크게 두 가지다. 첫 번째가 돈을 번 기업이 수익을 나누는 '배당'이고 두 번째가 주가 상승에 따른 '시세차익'이다.

주식투자로 기대하는 두 가지 수익 방법

① 배당 수익

② 주가 상승(시세차익) 수익

PART 1은 위의 두 가지 개념부터 살펴보는 시간이다.

Chapter 1

배당
(配當)

주식투자자라면 대부분 아는 내용이겠지만, 배당 이야기부터 시작한다. 필자를 포함하여 모든 투자자가 주식투자를 하는 가장 큰 이유는 무엇일까? 우리가 주식투자를 하는 가장 큰 목적은 수익을 만들어 자산을 불리기 위함이다. 투자자가 자산을 만들고 불리려는 노력이야말로 자본주의 시장경제에서 살아가며 행하는, '거의 본능에 가까운 일'이라고 할 수 있다. 투자는 첫째도, 둘째도 수익을 만들어내야 의미가 있다. 수익이 발생한 투자가 제대로 된 투자다.

자본주의 시장경제에서 인정하는 투자방법은 여러 가지다. 그중 주식투자는 어떤 기업의 성장 가능성을 살펴보고 미래가치를 예측하면서 우리가 주주로 직접 참여하는 투자 행위다. 만약 우리가 투자한 기업이 기대에 부응하여 성과를 거두었다면 주주는 시장에 참가한 대가로 수익을 돌려받는다. 기업의 성장 과실의 일부를 배당 형태로 돌려주는 '배당'에 관하여 자세히 살펴보도록 하겠다.

1. 배당의 정의

열심히 영업 활동을 한 기업이 수익을 냈다면, 기업은 투자한 주주에게 자신이 번 수익을 되돌려주는 일이 배당의 정의다. 그런데 배당에는 세 가지 종류가 있다. 기업이 주주에게 현금으로 지급하는 방법, 기업이 자사의 주식을 배당 형태로 주주에게 돌려주는 방법, 그리고 회사 자산을 현물로 주는 방법 등이다. 당연히 투자자는 기준 배당일 이전까지 주식을 보유해야만 배당 수익을 돌려받는다.

과거에도 그랬고 지금도 마찬가지지만, 기업이 사업 활동을 전개해 나가는 데 드는 모든 비용을 오직 기업의 자기 자본으로 모두 충당하기에는 무리가 따른다. 이에 기업은 미래에 어떤 사업을 영위할 계획인지 투명하게 밝히고, 그 뜻에 동의하는 투자자로부터 자금을 마련하여 사업을 펼쳐간다. 그리고 수익이 발생하면 당연히 벌어들인 수익을 투자자에게 배당하는 것이 상식적으로도 합당한 일이라 하겠다.

그렇다고 모든 기업이 배당을 실행하는 건 아니다. 투자자로서는 아쉬운 생각이 들겠지만 모든 상장 기업이 배당을 하는 건 아니다.* 2021년 하반기 기준, 대한민국 증권시장에 상장된 기업 중 약 20%가 배당 제도를 도입하지 않은 것으로 알려져 있다. 이처럼 배당을 하지 않는 기업의 논리는 아래와 같다.

'수익을 재투자하여 더 큰 성장을 도모한다!'

그러나 세계적인 흐름은 점점 더 많은 기업이 배당을 실행하는

* 세계적인 투자자 워런 버핏(Warren Buffett)은 배당에 인색하다는 오해를 받는다. 그가 최대주주인 버크셔 해서웨이가 배당하지 않는 회사로 유명하기 때문이다. 하지만 버핏은 배당주를 바라보는 시각이 일반인과 다르다. 사람들은 배당을 도입하지 않는 기업을 오해한다. 큰 수익을 낸 기업이 이익을 나누지 않는 것을 두고 '자기 욕심만 채우는 데 급급하다'라고 생각하기 쉽다. 그런데 워런 버핏은 어떤 기업이 영업 활동을 통해 수익이 났음에도 불구하고 배당하지 않는 데에는 다 그럴 만한 이유가 있다고 말한다. 자세한 내용은 '워런 버핏은 배당에 호의적일까 부정적일까?(Feat 워런 버핏)' 내용을 참고하면 될 것 같다.

방향으로 바뀌는 추세다. 이런 분위기와 함께 배당을 요구하는 주주의 목소리도 높아져 가는 듯하다. 기업들은 배당 도입을 확대해 가는 시대 흐름과 투자자의 적극적인 배당 요구에 화답하는 중이다. 따라서 앞으로는 많은 기업이 배당을 도입할 것으로 생각한다. 참고로 최근 큰 목소리로 배당을 요구하는 '행동주의 펀드(Fund)'를 소개한다. 이는 주식투자뿐 아니라 경제 상식으로 알고 있더라도 여러모로 도움이 된다.

부자가 되는 주식투자 상식 ①

행동주의 펀드의 이해

'행동주의 투자'란 무엇일까? 이른바 '행동주의 펀드'* 에 대한 이야기가 널리 회자되는 중인데, 이를 자세히 살펴보자. 행동주의 펀드는 의사결정에 영향을 주는 유의미한 수준의 지분(주식)을 확보한 주주가 기업의 경영과 지배구조개선, 그리고 높은 배당을 요구한다. 과거와 달리 지금은 여러 주주가 모여 적극적으로 행동에 나서 의사를 표

* 행동주의 펀드의 특징은 고배당 요구, 자사주 소각 및 매입, 경영진 교체 등을 요구하며 주가를 적극적으로 올려 수익을 내려는 투자다. 단기적으로 주가를 올리는 데 효과적이지만 장기적으로 행동주의 펀드가 주가를 하락시킨다는 분석도 있다. 널리 알려진 행동주의 펀드로 2015년 삼성물산과 제일모직 합병 당시 두 회사 합병을 반대하며 소송을 벌인 엘리엇 매니지먼트다.

현하는 일이 일상화되었다. 이런 행동주의 투자에는 아래에서 보듯이 몇 가지 모델이 있다.

| 행동주의 투자 모델 |

행동주의 투자 모델	내용
공매도** 형태	어떤 기업의 약점을 알아내어 공매도에 베팅한 후, 그 약점을 시장에 공개해 주가가 떨어지면 수익을 내는 형태다.
경영 참여 형태	경영진 교체나 기업의 분할을 요구하는 등 전반적인 기업지배구조, 경영 활동의 개선을 요구한다.
ESG*** 형태	환경 문제, 직원의 복지 등 ESG 활동에 초점을 둔 형태다.
기업사냥꾼 형태	매우 공격적으로 주주의 권리를 요구한다. 만약 단기 차익이 발생하면 이익을 얻고 보유 주식을 전부 매도하는 형태다.

최근에는 행동주의 펀드의 부상이 시장 전체 흐름에 영향을 미치는 변수로 자리를 잡았다. 기업의 지분을 확보해서 경영에 직접 개입

** 공매도(空賣渡): 주가 하락을 예상하여 주식을 빌린 후 주식을 매도하고, 주가가 하락하면 다시 재매수하여 빌린 주식을 갚는 방법이다. 이를 통해 해당 주가가 하락한 폭만큼 시세차익을 얻는다. 반대로 주식 매도 이후 주가가 상승한다면 손해를 볼 수 있다. 공매도는 개인 투자자보다 외국인이나 기관이 더 많이 활용한다.

*** ESG[Environment(환경), Social(사회공헌) Governance(기업 지배구조 개선)]는 크게 세 가지 의미를 포함한다. 기업이 계속 성장하고 발전하려면 친환경, 사회적 책임경영, 기업의 지배구조개선 등을 이루어 투명한 경영을 해야 한다는 인식이다. 최근에는 전 세계적으로 ESG 경영이 자리를 잡아가는 중이라고 생각한다.

하려는 시도가 늘었다고 이해하면 된다. 코로나 대유행 이후 인플레이션을 잡기 위한 미국 발(發) 금리 인상의 결과, 세계 경제가 침체되는 모습을 보여주기도 했는데 이런 시장 분위기가 행동주의 펀드 투자자의 적극적인 활동을 촉발했다는 평가도 있다.

자료에서 보듯 행동주의 펀드는 여러 가지 형태로 활동한다. 그들이 어떤 활동에 초점을 두느냐에 따라 두 가지 시각(긍정적 또는 부정적)이 동시에 존재한다.

- 부정적 시각: 기업경영에 과도한 압력 행사, 주식 공매도 행사 등
- 긍정적 시각: 기업경영 개선 요구, 주주 배당 요구 등

우선 기업에 혼란을 제공해 심하게 흔들고 수익이 나면 빠져나가는 형태가 부정적이라는 인식이다. 국내에서는 이런 세력을 일컬어 '하이에나'라고 부른다. 대표적인 모델은 공매도 형태의 헤지펀드 투자다. 반면에 긍정적인 평가도 있다. 기업에만 맡기면 개선을 기대하기 힘든 문제를 주주들이 힘을 모아 개혁을 도모한다는 점이 긍정적이다. 만약 어떤 기업이 1년 동안 사업을 벌여서 번 수익을 주주들에게 돌려주지 않는다면, 행동주의 투자자가 이런 불합리를 개선하라고 요구한다. 지난 2013년 애플이 그런 일을 경험했다. 애플은 영업으로 벌어들인 수익을 투자자에게 돌려주지 않고 사내 유보금으로 갖고 있었다. 이를 알게 된 행동주의 투자자가 압력을 행사했고, 결국

애플은 사내에 보유한 현금을 자사주 매입에 사용한 사례가 있다.

행동주의 펀드는 전통의 방식처럼 단순히 주식을 매매해 시세차익을 얻는 투자가 아니다. 조금씩 주식을 사들여 지분을 확보한 후, 경영에 적극적으로 참여함으로써 기업의 잘못된 관행을 고칠 것을 요구하거나 압력을 넣는다. 그리고 많은 배당을 요구하며, 이런 방법으로 수익을 낸다. 과거처럼 소극적인 투자자의 모습에서 벗어나 투자자 역할을 적극적으로 하겠다는 뜻으로 이해하면 된다.

행동주의 펀드는 해당 기업의 재무를 꼼꼼히 분석한 후 만약 고쳐야 할 부분이 드러나면 개선하도록 압력을 가해, 그 결과 수익을 만드는 형태다.

최근의 사례를 하나만 더 소개한다. 2023년 초, 1% 주식을 보유해 SM엔터테인먼트의 지배구조를 바꾼 얼라인파트너스가 대표적인 행동주의 펀드였다.

2. 배당의 종류

기업이 주주에게 배당하는 방법은 세 가지다. 하나씩 간략히 살펴보도록 하자.

첫 번째는 이익을 현금으로 돌려주는 '현금배당'이다. 현금배당은 기업이 거둔 이익을 재원으로 삼아 분기 말 또는 연말에 현금으로 지급한다. 지급일은 기업마다 조금씩 다르다. 현금배당은 주당 금액으로 표시한다. 예를 들어 삼성전자가 주당 500원씩 배당하기로 했다면 삼성전자 주식 1만 주를 보유한 투자자는 자신이 가진 주식 수 곱하기 500원인 500만 원을 현금으로 배당받는다.

10,000(보유 주식 수) × 500(배당액) = 5,000,000원

두 번째는 '주식배당'이다. 말 그대로 현금이 아닌 주식으로 배당을 하는 것이다. 예컨대 어떤 기업이 한 주당 0.05주(5%) 배당을 결정했다면, 100주당 5%에 해당하는 5주를 배당받는다. 그리고 위에서 소개한 예와 동일하게 해당 기업의 주식 1만 주를 보유한 투자자는 주식배당으로 500주를 돌려받는다.

10,000(보유 주식 수) × 0.05 = 500주

마지막 세 번째 방법은 '현물배당'이다. 금전 이외에 회사가 보유한 자산을 배당하는 것으로 기업이 보유한 자사주나 타법인의 주식 등을 현물로 배당하는 방법이다. 현물배당은 상장기업이 일반적으로 사용하는 배당은 아니다. 상법상 가능하다는 정도로 기억하면 좋을 것 같다.

부자가 되는 주식투자 상식 ②

배당이 주식시장을 만들었다?

배당을 정리하면서 빼놓을 수 없는 이야기가 있다. 세계 금융사(金融史)에서 세계 최초로 주주에게 배당을 한 회사는 어디일까? 정답은 네덜란드 동인도회사(VOC, Vereenigde Oost-Indische Compagnie)다. 네덜란드 동인도회사가 주주에게 정기적으로 배당을 돌려준 최초의 기업으로 알려져 있다. 네덜란드 동인도회사는 1602년부터 1800년까지 거의 200년 동안 자사의 지분 가치 중 18%를 주주들에게 배당했다고 전한다. 현재 시각으로 보더라도 정말 놀라운 일이다.

역사상 최초의 주식회사로 평가받는 네덜란드 동인도회사는 영국의 동인도회사와 경쟁 관계였다. 따라서 그들은 자신들만의 독자 무역항로 개척에 필요한 막대한 자금을 투자자로부터 조달받고자 했다. 그리고 이 회사에 돈을 댄 사람들은 자신이 주주임을 증명하는 권리증을 받았고, 저마다 투자금 비율에 따라 수익을 돌려받았다. 최초의 배당수익이었다. 당시 투자자들이 받은 권리증이 현재 주식증서에 해당한다. 배당수익을 얻기 위해 이 증서를 사고파는 수요가 늘었고, 이 거래를 공식적으로 투명하게 처리하기 위한 시장이 필요했다. 그 결과 네덜란드 암스테르담에 세계 최초로 증권시장이 세워졌다.

| 암스테르담 동인도회사의 조선소 |

네덜란드 동인도회사는 훗날 '암스테르담 증권거래소'라는 이름으로 개칭했다고 알려져 있다. 세계 최초 유가증권을 거래하는 공식적인 시장이 탄생한 것이다.

아래 자료는 국내에 상장한 기업 중 주당배당금이 높은 순위다(2023년 9월 기준). 여기서 한 가지 주의해서 봐야 할 것이 있다. 기업이 1주당 얼마나 배당했는지가 눈에 먼저 들어오겠지만, 단순히 주당배당금이 높고 낮음에 현혹되면 안 된다. 주당배당금이라는 사실을 인지해야 한다. **해당 기업의 현재 주가가 얼마인지부터 살핀 후 배당수익률이 높은지 낮은지를 파악해야 한다.**

| 주당배당금 상위종목(2023년 9월 기준) |

종목명	종가	대비	EPS	PER	주당배당금
고려아연	557,000	▲ 15,000	42,967	12.96	20,000
한국쉘석유	234,000	▼ 500	20,555	11.38	18,000
효성첨단소재	450,500	▲ 2,000	28,053	16.06	15,000
삼성화재우	190,300	▲ 3,200	-	-	13,805
삼성화재	267,500	▲ 6,000	30,113	8.88	13,800
POSCO홀딩스	584,000	▲ 31,000	41,456	14.09	12,000
LG화학우	320,000	▲ 6,500	-	-	10,050
LG화학	573,000	▲ 20,000	23,670	24.21	10,000
영풍	546,000	▼ 3,000	213,453	2.56	10,000
효성티앤씨	374,000	▲ 3,500	2,686	139.24	10,000
오뚜기	372,000	▲ 2,500	80,501	4.62	9,000
KCC	247,500	▲ 1,000	4,564	54.23	8,000
현대차2우B	106,600	▲ 500	-	-	7,100
현대차3우B	103,900	▲ 1,300	-	-	7,050
현대차우	105,100	▲ 700	-	-	7,050
현대차	192,200	▲ 1,500	28,521	6.74	7,000
엔씨소프트	252,500	▲ 2,000	21,456	11.77	6,680
SK가스	132,600	▲ 3,500	28,644	4.63	6,500
조흥	187,800	▲ 4,000	18,552	10.12	6,500
세아제강	143,000	▲ 3,600	56,889	2.51	6,000

출처: KRX 정보데이터시스템(http://data.krx.co.kr/contents/MDC/MDI/mdiLoader/index.cmd?menuId=MDC0201020502)

주당배당금 자료에서 보듯이 고려아연(010130)의 주당배당금은 20,000원, 한국쉘석유(002960)의 주당배당금은 18,000원이다. 그런데 배당금을 현재 주가 대비 수익률로 계산하면 상황이 달라진다. 고려아연 3.59%, 한국쉘석유는 7.69%의 배당수익률이 나온다. 한국쉘석유의 배당수익률이 대략 두 배 높다. 따라서 우리가 주당배당금보다 더욱 눈여겨봐야 할 내용이 배당수익률임을 알 수 있다. 당연히 배당수익률이 더 유의미하다. 배당수익률은 전체 배당금을 기업이 발행한 주식 수로 나누어 구한다. 다음 자료는 배당수익률이 높은 기업 순이다(2023년 9월 기준).

| 배당수익률 상위종목(2023년 9월 기준) |

종목명	종가	대비	PER	주당배당금	배당수익률
락앤락	5,900	▼ 20	-	1,953	33.10
일성신약	21,900	▲ 250	1.55	4,005	18.29
S-Oil우	53,600	▲ 1,000	-	5,525	10.31
LX인터내셔널	29,850	▲ 850	2.08	3,000	10.05
바이오노트	5,100	▼ 20	1.56	490	9.61
금호건설	5,300	▲ 160	9.03	500	9.43
대신증권우	13,450	▼ 30	-	1,250	9.29
대신증권2우B	12,970	▲ 100	-	1,200	9.25
우리금융지주	12,590	▲ 320	3.00	1,130	8.98
동아타이어	11,280	0	6.46	1,000	8.87
GS건설	14,840	▲ 210	3.71	1,300	8.76

출처: KRX 정보데이터시스템(http:http://data.krx.co.kr/contents/MDC/MDI/mdiLoader/index.cmd?menuId=MDC0201020502

일성신약(003120)의 배당수익률은 당시 주가 21,900원 대비 4,005원, 비율로 계산하면 18.29%다. 원고를 쓰는 날짜 기준, 배당수익률 상위에 오른 종목은 리드코프(012700) 13.49%, 코리아에셋투자증권(190650) 11.63%, S-Oil우(010955) 11.09% 순이다. 배당수익률은 시장의 주가 변동성이 큰 상황에서 크게 달라질 수 있다는 것도 알아두기 바란다.

지금은 정보가 돈을 벌어다 주는 시대다. 아는 만큼 수익이 커진다는 이야기다. 배당에 관한 유용한 자료는 여러 기관에서 공개한다.* 배당에 관심이 많은 분은 해당 정보를 제공하는 포털홈페이지를 방문해 자료를 찾아보면 된다. 국내 상장사 중 배당을 도입한 기업의 배당금 순위와 배당수익률을 두루 살펴보고 배당투자에 나서기 바란다.

투자자라면 꼭 알아야 하는 내용이 더 있다. 만약 배당주에 관심이 많다면 해당 종목이 주식인지 리츠인지 또는 폐쇄형 펀드인지를 반드시 확인해야 한다. 그리고 배당이 일회성인지 또는 기업이 꾸준하게 성장한 결과를 배당하는지도 알아야 한다. 이런 정보는 누가 쉽게 알려주지 않는다. 스스로 공부해서 옥석을 가릴 줄 알아야 한다. 배당의 원천은 기업의 실적에 기초한다. 필자는 기업의 가치와 성장에 따라 배당이 결정된다는 사실을 꼭 한번 말씀드리고 싶었다.

---

* 배당과 관련한 정보는 'KRX 정보데이터시스템(http://data.krx.co.kr)', '한국예탁결제원 증권정보 포털(https://seibro.or.kr)', '팍스넷(http://www.paxnet.co.kr/stock/dividends/dividendsList)' 등에서 누구나 쉽게 확인할 수 있다.

3. 배당 기준일

'배당 기준일'을 헷갈리는 분들도 생각보다 많은 것 같다. 쉬운 설명이 필요해 보인다. 내용이 어렵거나 복잡하지 않다. 배당 기준일도 상식적으로 생각하면 쉽게 이해할 수 있다. 예컨대 A기업은 자사 주식을 보유한 주주에게만 배당한다. 어떤 투자자가 A기업의 주식을 매수해 배당수익을 얻고자 한다면, 당연히 A기업 주식을 보유해야 한다. 지극히 당연한 이야기다. 그런데 주식을 언제까지 보유했느냐에 따라, 그러니까 주식을 보유한 시점에 따라 배당을 받기도 하고, 못 받기도 한다. 그 기준이 바로 '배당 기준일'이다.

'배당 기준일'이란 배당받을 수 있는 마지막 보유 시점이라고 생각하면 쉽다. 그런데 기업마다 배당금을 지급하는 배당 기준일이 조금씩 다르기 때문에 투자자는 기업이 결정한 배당 기준일까지 주식을 반드시 보유하고 있어야 배당을 받는다. 당연히 기업은 배당 기준일까지 주식을 팔지 않고 보유한 사람에게만 배당해준다.

먼저 우리나라 대부분의 상장 기업이 채택한 '정기 배당'부터 살펴보자. 만약 여러분이 투자한 '부자물산'이라는 회사가 12월 결산법인(1.1~12.31)이라면, 12월 30일(12월 31일은 한국거래소 휴장일)까지 '부자물산' 주주명부에 투자자의 이름을 올려야 한다. 주주명부에 투자자 이름이 기록되려면 '2영업일 이전'까지 주식을 보유해야

| 배당 기간별 분류(1년 기준) |

정기 배당	결산기 배당(연 1회), 대부분의 상장기업이 채택한다.
중간 배당	결산기 배당 후 영업연도 중간에 추가 배당(연 2회), 일부 기업이 채택한다. 예) S-Oil, SK케미칼, 쌍용C&E, CJ제일제당, 한온시스템 등
분기 배당	결산기 배당 후 영업연도 분기 말에 추가 배당(연 4회), 일부 기업이 채택한다. 예) 삼성전자, KB금융, 신한지주, 하나금융지주, SK하이닉스, SK텔레콤 등

한다. '부자물산'은 12월 28일까지 자사 주식을 보유한 주주에게 배당을 실시한다. 사례로 든 '부자물산' 투자자는 이 회사 주식을 12월 28일까지 보유해야 배당받을 것이다. 앞서 밝혔듯 배당을 실시하는 대한민국 대부분의 상장사는 사실 12월 결산법인이다.

결론적으로 12월 결산법인의 경우 주주명부에 이름을 올릴 수 있는 최종 배당 기준일이 12월 28일이다(물론, 공휴일에 따라 날짜가 변하기도 한다. 예컨대 2022년 12월 결산법인의 배당 기준일은 12월 27일이었다).

배당 기준일 하루 뒤인 12월 29일은 '배당락일(配當落日)'이다. 이 말은 배당받을 권리가 없어진다는 뜻이다. 12월 29일에 보유 주식을 모두 매도해도 배당받을 권리가 사라지지 않는다. **흔히 배당락일에는 배당 이벤트가 마무리된 후인지라 주가가 하락하**

는 모습이 종종 나타나기도 한다.

전통적으로 배당 제도는 기업이 열심히 일해 거둔 이익을 투자자와 나누는, 자본주의 시장을 활성화하는 데 많은 도움이 되는 긍정적인 제도다. 그러나 시장에서는 배당이 꼭 이상적인 모습대로 흘러가거나 적용되는 건 아닌 듯싶다. 아쉽게도 배당이 단타성 재료로 여겨지기도 하고(물론, 일부 투자자가 그렇다는 이야기다), 배당 기준일 및 배당락일 전후로 수익을 내기 위한 투자자들 간의 눈치 게임을 벌이는 일도 매우 흔하다. 이런 상황을 지켜보고 있자니 조금은 아쉬운 생각도 든다.

'중간 배당'과 '분기 배당'은 하나로 묶어 간략히 살펴보겠다. 중간 배당은 영업연도 중간에 2회 이루어지는 배당이다. 분기 배당 역시 영업연도 중 분기(연 4회)마다 시행하는 배당이다. 삼성전자나 POSCO 등 분기 배당을 채택한 기업은 별도의 배당락일이 없다는 것도 참고로 알아두자. 물론 배당락일이 없더라도 배당 기준일 다음 날 주가가 하락하지 않는 건 아니다. 그리고 최근에는 금융주를 중심으로 연 1회 정기 배당에서 중간 또는 분기 배당으로 돌아서는 기업이 점점 늘어가는 분위기다. 연말 일회성 배당으로 마무리하던 정기 배당 외에 추가 배당을 요구하는 투자자의 강력한 목소리가 반영된 결과다. 시간이 지날수록 많은 배당을 요구하는 주주들의 목소리가 점점 높아져 가는 추세다.

4. 배당주 투자 전략

배당주에 투자할 때에도 기억해야 할 리스크(Risk)가 있다. 만약 투자자가 연말에 이루어지는 배당을 기대하고 투자에 나섰는데, 시장의 상황과 분위기가 투자자에게 우호적이지 않다면, 주가가 급락해 손해를 보기도 한다. 이는 매우 심심찮은 일이다. 이때 투자자는 배당 기준일이 다가올수록 주식을 매도할지 보유할지 고민에 빠질 수밖에 없다. 주식을 보유해서 배당수익을 챙기자는 판단이 유리할 수도 있고, 거꾸로 시장 분위기가 여의치 않아 주가가 크게 떨어질 거라고 예상한다면 주식 보유로 인해 발생하는 손실이 배당수익보다 더 클 수도 있다. 따라서 **배당수익을 기대하고 나선 투자에서는 배당수익보다 주가 하락에 따른 손실이 훨씬 클 수 있다는 사실을 염두에 두어야 한다. 배당주 투자에서는 이 판단이 가장 중요하다.**

2021년 말, 삼성전자의 주가가 좋은 참고 사례다. 2021년 12월 28일 연말 배당에서 삼성전자 종가는 80,200원이었다. 그리고 12월 29일 배당락일 시초가는 80,100원이었다. 이후 해가 바뀌어 2022년 1년 내내 삼성전자 주가는 꾸준히 하락하는 모습만 보여주었다. 그리고 2022년 하반기에는 1년 전 8만 원 초반대 가격보다 크게 떨어진 52,000원대까지 주가가 밀렸다. 단 한 번도 2021년 배당 기준일 종가 8만 원대 가격을 회복하지 못했다. 2023년 8

월 현재 역시 6만 원 후반~7만 원 초반을 횡보 중이다.

배당수익보다 주가 하락에 따른 손실이 큰 사례를 들자면 끝도 없다. 기아(000270)가 보여준 주가 흐름은 어땠을까? 기아는 2022년 배당 기준일 종가가 65,000원이었다. 그런데 배당락일을 포함하여 불과 3일 만에 주가가 60,000원까지 내려가 거의 마이너스 10%를 기록했다. 배당을 많이 하는 것으로 알려져 배당투자 관심 종목 상위에 오르곤 하는 금융주도 예외가 아니다. 대표적인 금융주의 2022년 말 배당 기준일과 배당락일 간 주가를 비교한 자료에도 그 사실이 잘 나타난다.

| 금융주의 배당 기준일, 배당락일 종가 비교 |

종목명	배당 기준일 (2022년 12월 27일) 종가	배당락일 (2022년 12월 28일) 종가
KB금융	51,500원	49,450원(2,050원) 하락
한국금융지주(우)	48,300원	44,350원(3,950원) 하락

배당락일을 전후로 주가가 크게 하락하는 걸 지켜보고 있으면 아쉬운 생각이 든다. 기업이 돈을 벌어 주주와 나누는 건강한 배당 제도가 단타 재료 또는 투자자들의 눈치 게임으로 전락한 듯해서 말이다. 배당은 기업과 투자자 모두에게 유익한 제도다. 제도 본연의 목적과 취지에 맞는 방향으로 정립되어 건강한 투자 분위기가

확대되기를 투자자의 한 사람으로서 간절히 기대한다.

앞서 언급한 것처럼 배당수익을 기대하고 쉽게 덤볐다가 더 큰 투자 손실을 경험하는 분들도 많다. 따라서 각별한 주의가 필요하다. **단순히 배당수익만 노리고 투자에 나서기보다 배당락 이후 주가가 어떻게 흘러갈지 예측하고 시장 상황을 계속 주시하며 배당주 투자를 결정해야 한다.** 당연히 시장의 상황이나 흐름이 우호적이라고 판단할 때, 배당주 투자에 적극적으로 나서야 한다.

투자금이 넉넉한 분들, 또는 은퇴한 후 자금에 조금 여유가 있는 분들이라면 배당주 투자에 적극적인 관심을 가져보는 것도 좋다. 이런 분들은 여유가 곧 자산이다. 여유 있는 마음으로 배당수익도 챙기고 혹여 배당락으로 주가가 떨어지더라도 투심(투자심리)이 쉽게 흔들리지 않는다. 물론 기본적으로 주가가 부침을 이겨내며 큰 흐름을 타고 우상향할 거라는 믿음은 가져야 한다. 이런 믿음이 있다면 배당 투자가 두 마리 토끼를 잡는 효과적인 방법이다. 그러나 짧은 기간(단기) 내에 수익을 내야 하는 투자자, 자금 여력이 부족한 투자자라면 '배당 투자로 인한 득실 차이'를 꼼꼼히 따져본 후 투자에 나서야 한다.

필자는 국내 주식뿐만 아니라 미국 주식에도 투자한다. 미국 주식은 우리나라 주식과 달리 투자자가 미리 배당금액을 알 수 있다. 그런데 현실적으로 주가가 늘 오르는 건 아니다. 당연히 주가가 하락하는 시기가 있는데, 이런 경우라면 배당의 매력이 사라진다. 가장 이상적인 스토리는 기업이 이익을 거두어 주주에게 돌려주는 배당도 받고, 시장 상황마저 호의적·긍정적이라 주가까지 오른다면 일석이조(一石二鳥) 투자 결과를 누릴 수 있다.

미국 주식 이야기가 나온 김에 이야기를 더 해보자면, 미국에서 배당을 많이 하는 기업은 3M, P&G, 코카콜라, 존슨앤드존슨, 도버(특수장비 제작업체), 에머슨일렉트릭(전자기기 제조업체), 네뉴인파츠(자동차 부품업체), 콜게이트-팔몰리브(치약회사) 등이다. 이들 기업은 지난 60년간 해마다 배당액을 늘려 주주에게 돌려준 것으로 유명하다. 가장 익숙한 기업 코카콜라는 연간 1.84달러(배당수익률 3.07%)를 주주에게 배당했다. 미국 S&P500 기업의 평균 배당수익률 1.65%와 비교해도 두 배 가까운 높은 배당이다.

한편, 주식시장에서는 투자자에게 유리한 상황만 전개되지 않는다. 때때로 경기 침체라는 공포가 찾아오기도 하고, 세계적으로 영향력과 인지도 높은 기업이 하루아침에 몰락해 전체 시장에 부정적인 효과를 전달하기도 한다. 최근의 사례를 소개하면 2023년 3월에 발생한 실리콘밸리은행(SVB)의 파산이다.* 이처럼 시장에 불리한 이슈가 불거지거나 미래 전망이 어두울 땐 상대적으로 안정적인 수익을 기대할 수 있는 배당에 관심을 가져보는 것도 괜찮은 투자방법이다. 투자자에겐 유연한 판단력과 실행이 돈을 버는 똑똑한 전략이 된다.

5. 버핏은 배당에 호의적일까 부정적일까?(Feat 워런 버핏)

원고를 쓸 땐 혹시라도 실수할까 봐 많은 자료를 들여다보고 또 참고한다. 모든 책의 저자가 이와 같을 것이다. 책을 쓰면서 참고 영상을 하나 접했는데, 워런 버핏이 배당을 어떻게 생각하는지 알 수 있었다. 그 이야기를 공유한다. 오마하의 현인은 배당을 어떻게 생각할까? 세상에 떠도는 말처럼 그는 배당 투자를 싫어하고 인색할까?

2020년 기준, 약 692억 달러(한화 90조 원 안팎)의 자산을 보유한

---

* 2023년 3월, SVB(Silicone Valley Bank, 1983년 설립된 미국의 벤처캐피털 및 기술 스타트업 전문 은행)파산 뉴스가 전달되자 미국과 글로벌 금융시장이 크게 요동쳤다. 물론 2008년 금융위기를 촉발한 리먼 사태처럼 금융시장 전체로 확산되지 않을 거라는 예상대로 흘러가 천만다행이다. 미국 내 16위까지 올랐던 SVB 파산에 따라 미 정부는 SVB 파산 여파를 막아내고자 여러 가지 조치를 시행했다. 뱅크런(예금 대량인출)을 막기 위한 예금액 보호 조치를 포함하여 은행에 대한 특별 유동성 공급조치(BTFP)를 실시했다. 미국 첨단 산업의 요람이라 불리는 실리콘밸리에서 영향력이 컸던 SVB 파산은 미국 벤처기업과 스타트업 기업의 자금 조달에 어려움을 제공하고, 거시적으로는 미국 경기가 침체되는 데 일조할 거라는 우려까지 더해져 미연준(FED)의 통화정책에도 영향을 주었다.

것으로 알려진 워런 버핏은 MZ세대 말을 빌리자면 '인싸' 중 '인싸'다. 버핏의 말 한마디는 주요 경제지의 머리기사가 되곤 한다. 그런데 버핏이 최대 주주인 버크셔해서웨이는 배당하지 않는 기업으로 유명하다. 사실 버크셔해서웨이는 주주에게 돌려준 배당이 거의 없었다. 그래서 사람들은 버핏이 배당을 썩 좋아하지 않고 배당주 투자에 인색하다고 생각한다. 과연 그럴까?

결론적으로 버핏은 배당을 바라보는 인식이 일반인과 사뭇 다르다. 2008년 버크셔해서웨이 주주총회에서 벌어진 에피소드가 회자되었는데, 이를 통해 배당을 바라보는 워런 버핏의 생각을 엿볼 수 있다. 2008년 버크셔해서웨이 주총에 참석한 주주 가운데 12살짜리 아이가 워런 버핏에게 돌발 질문을 던졌다.

'당신의 스승 벤저민 그레이엄은 배당을 믿는다고 했는데, 왜 당신은 배당을 믿지 않나요?

꼬마 주주는 버크셔해서웨이를 인수한 워런 버핏이 지금까지 오직 한 번, 그것도 1주당 10센트를 배당한 정책이 궁금했다. 버핏은 이 주주의 질문을 받고 어떻게 응수했을까? 버핏은 배당이 정말 중요하고, 배당을 믿는다고 밝혔다. 그리고 기업이 돈을 벌었더라도 새로운 가치를 만들어낼 자신이 없다면 주주에게 배당하는 게 맞고, 새로운 가치를 창출하는 데 돈이 든다면 배당 대신 투자가 옳다고 설명했다. 한마디로 기업이 세상에 없는 새로운 가치를 만들어내는지, 아닌지에 따라 배당이 이루어져야 한다고 보는 것이다.

여기서 진지하게 생각해볼 문제가 있다. 버크셔해서웨이는 배당 대신 수익을 재투자하여 더 큰 기회와 주가 상승을 이루었다. 특히 주가는 해마다 엄청 올랐다. 버크셔해서웨이에 투자한 사람은 배당수익과 비교할 수 없는 주가 상승 수익을 누렸다. 과거 13억 달러어치 코카콜라 주식을 매수해 많은 배당을 받은 바 있는 버핏은 주식투자로 수익을 내는 또 하나의 기쁨인 배당을 철저히 믿는 인물이다. 버핏은 이렇게 말한다.

"어떤 기업이든 자신들이 번 수익을 사업에 효율적으로 사용할 능력과 계획이 없다면 배당하는 것이 옳다. 만약 어떤 기업이 1달러를 벌어 이를 재투자해 1.1~1.2달러를 만들어낼 수 있다면 배당 대신 재투자해야 한다. 거꾸로 1달러를 재투자하여 1달러보다 낮은 가치를 만들 것 같다면 재투자를 참고 배당해야 한다!"

사람들은 배당을 부수적인 수입으로 생각하기 쉽다. 많은 투자자가 그렇게 여긴다. 하지만 워런 버핏은 생각이 남다르다. 그는 배당이 철저하게 가치 창출 여부에 따라 이루어져야 한다고 믿는다. 오랫동안 배당하지 않은 버크셔해서웨이의 논리는 아래와 같다.

'우리는 자본의 효율적인 배치로 1달러가 1달러 이상의 가치를 만들어내고, 주가 역시 크게 올라 더 큰 이익을 주주에게 돌려주었다!'

만약 버크셔해서웨이의 주주가 돈이 필요하다면 보유한 주식을 매도해 수익을 실현하면 된다는 뜻이다. 그렇다면 워런 버핏이 1965년에 인수한 버크셔해서웨이의 58년간 누적수익률(1965~2020년)은 얼마일까? 놀랍게도 3,790,000%라는 경이로운 결과다. 이를 연평균 수익률로 나누면 19.8%, 동기간 S&P500 지수와 비교해도 약 153배나 높다. 참고로 2023년 9월 중순 버크셔해서웨이 Class A의 주가는 무려 56만 달러가 넘는다!

| 버크셔 해서웨이 Class A 주가 |

출처: Google Finance

오마하의 현인은 무조건 많이 배당하는 기업에 투자할 것이 아니라, 자본의 효율적인 재배치를 고려해야 한다고 말한다. 재투자보다 배당이 합리적이라고 판단해 배당을 나누는 기업이 진짜 배당주라는 것이다. 반대로 새로운 가치 창출을 도모하기 위해 투자하는 기업이라면, 비록 그 기업이 배당을 채택하지 않더라도 무조건 욕할 것이 아니다. 차분히 결과를 지켜보며 정말로 새 기회와 가치를 찾아 성장하면 그 성과를 주가 상승으로 나눈다는 점을 믿어야 한다는 것이다.

수익을 못 내면서도 배당만 하는 것도 문제, 수익을 낼 수 있음에도 굳이 배당함으로써 재투자에 머뭇거리면 이 역시 큰 문제다. 배당에 대한 버핏의 시각은 필자에게 큰 깨달음을 주었다. 주식투자 후 덤으로 얻는 수익이 배당이라는 기존 생각을 되돌아보는 계기였다.

Chapter 2

시세차익
(時勢差益)

필자는 책의 집필 방향과 목적에서 밝힌 것처럼 '주가가 쌀 때 사고 비쌀 때 파는 방법'에 치중한 책을 쓰고 싶다. 그래서 복잡한 차트나 이론은 최소화하고 많은 분이 궁금해하는 매매기법을 중심으로 이야기를 해나갈 생각이다. 그렇더라도 주식투자의 기본을 소홀할 수는 없다. 어떤 일이든 간에 기본이 절반을 좌우하게 마련이다. '시세차익'이란 말을 모르는 분은 없을 것이다. 비단 주식뿐 아니라 부동산, 채권투자에서도 시세차익이란 용어를 똑같이 적용해 사용한다. 시세차익은 어떻게 만들어질까? 시세차익은(주식이든 부동산이든 채권이든) 말 그대로 투자 대상을 매수한 시점과 매도 시점 사이의 갭(Gap)이다. 그리고 수익이 나면 '시세차익'이 발생했다고 말한다. 이를 주식투자로 한정해 쉽게 설명하면 아래와 같다.

> 매수한 가격보다 더 높은 가격에 매도하면 시세차익이 발생한다.

1. 시세차익의 정의와 이해

앞서 말했듯이 우리가 주식투자로 수익을 기대하는 두 가지 방법이 있다. 그중 하나가 '시세차익'이다. 두 가지 방법 중 시세차익을 거두는 일이야말로 모든 투자자가 오늘도 주식을 하는 가장 큰 이유다.

여러분이 어떤 주식을 1만 원에 매수했다고 해보자. 그런데 그 주식이 15,000원까지 올라 매도했다면, 주당 5,000원의 시세차익이 발생한 것이다. 말로는 쉽고 단순하다. 누구나 시세차익을 낼 수 있을 것 같아 용기가 난다. 그러나 주식투자로 시세차익을 얻기란 말처럼 쉬운 일이 절대 아니다. 주식투자로 수익을 내보겠다고 뛰어든 분들 가운데 과연 달콤한 시세차익을 경험해본 투자자가 얼마나 될까? 모르긴 해도 생각보다 많지 않은 것이 현실이다. 특히 제대로 된 준비나 공부도 없이 남의 이야기만 듣고 뛰어든 주식투자는 필패할 수밖에 없다.

시세차익을 기대하고 주식에 투자했다가 본전은커녕 마이너스 수익만 경험하고 결국 시장을 떠난 분들을 수없이 봐왔다. 혹자는 '두 번 다시 주식은 쳐다보지도 않을 것이다!'라는 맹세까지 남기고 시장을 떠난다. 어떤 투자자는 마이너스 수익에 지쳐 오랜 시간 기다리다가 주가가 자신이 매입한 본전에 가까워지면 서둘러 정리하기도 한다. 물론 이런 분은 손실만 보고 시장을 떠난 분들보다는 사정이 좀 나은 경우다. 그렇더라도 오랫동안 투자금이 시간에 묶인 결과[투자금과 시간 레버리지(Leverage) 둘 다 헛되이 사용한 결과]가 되었으니 이래저래 양쪽으로 손해만 본 것이다.

세상의 모든 상품에는 정해진 가격이 있다. 어떤 상품이든 간에 일반적으로 가격이 매겨져 있고 누구나 고정된 가격으로 물건을 사고판다. 그러나 주가는 우리가 쉽게 살 수 있는 일반적인 상품 가격과 다른 특성을 가졌다. 주가는 고정된 가격으로 거래되지 않는다. 내부 또는 외부의 상황에 따라 시장에는 끊임없이 변동성

(變動性)이 발생한다. 주가의 특성이 바로 변동성이다. 주가는 오늘 종가를 기준으로 내일 또다시 새로운 가격이 형성된다. 주가가 어제보다 상승할지 하락할지를 정확히 알 수 있는 사람은 세상에 없다. 만약 주가가 일반 상품처럼 가격이 정해져 고정되었다면 절대로 투자 대상이 될 수 없다. 주가는 매수가와 매도가의 차이(시세차익)를 통해 투자 수익이 결정되기에 투자의 매력이 존재한다고 말할 수도 있다.

여기서 시세차익을 기대하며 투자하는 주식투자자와 일반 상품을 사고파는 상인을 비교해보면, 둘 다 비슷한 생각을 할 것이다. 일단 저렴하고 질 좋은 상품을 사들여 다른 상인이나 손님에게 비싸게 되팔아 이윤을 남기는 비즈니스를 궁리할 것이다. 언제 팔지 고민하는 일은 일반 상품을 파는 사람이나 주식투자자나 똑같다. 그런데 일반 상품과 주가 사이에는 큰 차이가 있다. 일반 물건에는 판매가(정가)라는 가격이 매겨져 있다. 그러나 주가는 고정 가격이 아니다. 매매 당시의 시장에서 매수자와 매도자가 서로 합의하는 순간에 가격이 결정된다. 능동적 의미인 '합의한다'라는 표현보다 수동적인 '합의된다'는 말이 더 적당하겠다. 이처럼 주식에서는 매수자와 매도자 간 합의하는 순간에 결정된 가격만 있을 뿐이다. 매수자와 매도자 사이에 합의되어 가격이 결정되는 시간은 엄청 짧다. 1분도 무척 긴 시간이다.

주식투자로 시세차익을 얻고 싶다면(주가가 내려가야 수익이 나는 공매도, 풋옵션을 제외하곤) 무조건 투자자가 매수한 가격보다 주가가 더 상승해야 한다.

부자가 되는 주식투자 상식 ③

공매도, 선물매도, 풋옵션의 수익 구조

• 공매도(空賣渡): 한자를 풀어 이해하자면, '없는 것을 판다'는 뜻이다. 주가가 떨어질 것을 예상하고 시세차익을 노리는 투자다. 일반 주식 매매법과 거꾸로 생각하면 된다. 사례로 공매도를 이해해보자.

현재 A 주가 5만 원	**며칠 후 A 주가 4만 원**
A주 10주 빌림	**A주 10주 매수**
현재가 5만 원에 매도	**빌린 주식 상환**
50만 원 공매도(현금 보유)	**40만 원 상환(주식 10주)**

✓ **여기서 주가 하락으로 10만 원의 시세차익을 얻는다.**

① A 종목이 하락할 것으로 예상해 미리 주식을 빌려 현재가로 매도한다.

② A 종목 주가가 하락하면 매수해서 빌린 주식을 갚아 수익을 만든다.

공매도는 시장 상황이 여의치 않거나 해당 종목에 악재가 발생하여 주가가 하락할 거라고 예상될 때 취하는 전략이다. 크게 두 가지 방법이 있다. '무차입 공매도(Naked short selling)'와 '차입 공매도(Covered short selling)'다. 무차입 공매도는 보유하지 않은 주식을 먼저 팔고, 다음 결제일이 오기 전 시장에서 재매수해 빌려준 대여자에게 반환하는 방법이다. 차입 공매도는 내가 보유한 주식을 관리하는 증권사, 한국예탁결제원에서 주식을 빌려 매도하는 방법이다.

공매도는 시장 변동성이 클 때 혼란을 더 부추긴다는 시각도 있다. 특히 개인 투자자의 참여가 제한된 상황에서 주로 기관과 외국인 투자자가 공매도를 독점함에 따라 개인 투자자의 피해가 크다는 논란이 있고 제도 보완이 필요해 보인다. 그렇더라도 공매도의 순기능을 무시할 순 없다. 시장이 안정적인 상황에서는 주가가 크게 오르는 버블을 제어하는 데 공매도가 도움이 된다. 공매도를 단순히 '좋다, 나쁘다' 이분법적 시각으로만 판단할 것이 아니다. 공정한 절차를 만들고 미비한 제도를 보완함으로써, 주식시장이 더 건강하게 성장하는 데 역할을 하도록 만들어가야 한다.

선물매도와 풋옵션은 간략히 핵심만 정리하고 넘어간다. 실제로 이 두 가지 내용은 공매도와 달리 일반 투자자가 잘 몰라도 크게 상관없을 것 같다.

- 선물매도(先物賣渡): 선물(Futures)거래란 장래 일정 시점에 미리 정한 가격으로 매매할 것을 현재 시점에서 약정하는 거래다. 한마디로 미래의 가치를 사고파는 것이다. 선물매도는 매도 후 주가가 하락할 때 수익을 내는 방법인데 레버리지(Leverage)가 크기 때문에 손익의 변동성에 잘 대응해야 한다. 선물매도의 경우 단기간에 리스크가 매우 높을 수 있다는 단점이 존재한다.

- 풋옵션(Put option): 특정한 기초자산(주식 등)을 계약 당사자가 미리 정한 가격으로 미래의 특정 시점(또는 그 이전에)에 팔 수 있는 권리(權利)가 주어지는 파생상품이다. 풋옵션도 선물매도처럼 매수 이후 주가가 하락하면 수익이 발생하며 마찬가지로 레버리지가 커 손익 변동성에 대응을 잘해야 한다.

어떤 주식을 매수하고 싶은데 주가가 너무 비싸면 시세차익을 기대하기 힘들다. 수익을 기대했건만 손해를 볼 가능성이 더 크다. 따라서 주가가 되도록 저렴할 때 사는 것이 중요하다. 그렇다면 내가 사고 싶은 주식의 가격이 높은지 또는 낮은지를 어떻게 가늠할까? 이는 매수 타이밍과 밀접한 관련이 있다. 적절한 매수 타이밍을 판단한다는 건 주식투자에서 매우, 정말 중요한 일이다. 투자자가 매수하고 싶은 종목의 주가가 적절한지를 살펴보는 기준과 요소는 여러 가지다. 당연히 투자자마다 판단 기준이 다르고 참고하는 자료와 가중치도 다를 수밖에 없다. 그리고 저마다 참고하는 자료가 천차만별일 수밖에 없다는 점부터 밝힌다. 하지만 필자를 비롯하여 많은 투자자가 주가를 판단하는 데 가장 많이 사용하는 세 가지 자료가 있다. 익히 잘 알려진, 어쩌면 특별할 것 없는 기준일 수도 있겠다.

주가를 판단하는 세 가지 기준

① 전체 시장분석(코스피, 코스닥 등)

② 기본적 분석(개별종목 재무제표 분석법 등)

③ 기술적 분석(개별종목 차트 분석법 등)

주가가 적당한지 살펴보는 이유는 해당 주식을 저렴하게 매수하기 위함이다. 엄밀히 말하면 최적의 매수 타이밍을 잡기 위해 자료를 분석한다. 따라서 위의 세 가지 내용에 대한 상세한 설명은 CHAPTER 2 '큰 시세차익을 얻기 위한 준비'에서 후술할 예정이다. 그리고 여러분이 시세차익을 얻는 데 도움이 될, 필자의 실전투자 경험과 노하우도 함께 공유할 생각이다(많은 분이 그 이야기를 궁금해하실 것으로 안다).

마지막으로 시세차익을 굳이 나누자면, 작은 시세차익과 큰 시세차익이 있다. 내용을 하나씩 살펴보도록 하겠다.

2. 작은 시세차익

오래된 판매 전략 중 하나로 '박리다매(薄利多賣)'라는 말을 들어보았을 것이다. 이익이 박해도 우선 많이 팔고 보겠다는 전략이다. 수많은 투자 기법이 존재하는 주식시장에도 박리다매와 비슷한 투자법이 있다. 큰 수익을 기대하기보다 작은 수익을 내는 방법이다. 대표적으로 프로그램 매매를 활용한 초 단위 트레이딩('스캘핑'이라고도 한다)이다. 작은 시세차익 사이에서 매수와 매도를 하는 시스템 트레이딩(System Trading)이 주식투자에서 작은 시세차익으로 수익을 내는 박리다매 전략이다.

실제로 우리나라보다 미국에서 이 방법을 활용하는 투자자가 정말 많다. 들리는 말로는 프로그램을 돌려 아주 작은 시세차익을 노린 투자가 성황이라고 한다. 그런데 여기서 한 가지 생각해볼 문제가 있다. 너무 빈번하고 잦은 매매를 할 때마다 증권거래세와 수수료 등 큰 비용이 발생한다. 어떤 투자든 비용을 항상 고려해야 한다. 자칫 배보다 배꼽이 더 큰 상황이 벌어지기 때문이다. 말 그대로 박리다매 전략을 사용하면 작은 시세차익으로 얻는 수익보다 수수료로 더 큰 비용이 나간다. 초 단위 트레이딩은 일반 투자자가 할 수 있는 매매방법이 아니다. 하루에도 수십 번 매매를 하는 스캘핑, 스윙 매매는 (많은 전업투자자가 하는) 작은 시세차익을 얻기 위한 단기투자 방법이다. 그렇다고 누구나 중장기투자로 큰 시세차익을 거둘 수 있는 것도 아니다. 그래서 주식투자가 어렵다. 주식을 보유한 지 1년이 넘도록 주가가 처음 매수가보다 절반 아래로 하락하는 일도 비일비재하다. 수익을 기대하고 투자했지만, 의도와 상관없이 중장기투자로 변질되는 상황에 놓인 투자자는 난감하다. 보유한 주식을 팔아야 할지 기다릴지 판단이 쉽게 안 선다.

만약 여러분이 매수한 종목이 현재 마이너스 상태인데 더 떨어질 것 같다면 어떻게 해야 좋을까? 비록 지금 마이너스라도 더 큰 마이너스가 되어 계좌가 멍들기 전에 과감히 매도하는 것이 좋다. 이미 정답은 질문에 나와 있다. 마이너스인 주식이 앞으로 더 떨어질 것으로 예상하거나 전망한다면 미련 갖지 말고 과감하게 매도해야 한다. 손해를 확대하고 끌고 갈 이유가 없다. 마음 아픈 일이지만 손절도 큰 그림에서 보면 일종의 투자 행위 중 하나다. 물론 손절을 실행한다는 건 말처럼 쉽지 않다. 손실을 확정하는 결과를 받아들이기 어렵고, 그 생각에 함몰될수록 누구나 머뭇거릴 수밖에 없다. 그러나 손절은 주식투자에서 정말 중요한 판단이다. 이에 필자는 손절 이야기를 원고 후반부에서 더 자세히 다룰 생각이다.* 우리가 기억해야 하는 건. 비록 뼈아픈 손절로 손실이 발생해도 시장은 기회를 다시 제공한다는 점이다. 시장은 늘 투자자를 기다린다.

주식 시세창에서 상승률 상위종목을 살펴보면 상황이 좋았든 나빴든 빨간색 양봉을 세우며 크게 상승한 종목이 항상 존재한다. 어떻게 보면 그런 종목 모두가 기회다. 손실이 점점 더 늘어날 거라는 사실을 알면서도 매도하지 않고 묵묵히 기다리는 건 올바른 투자라고 볼 수 없다. 손절로 손실이 확정되더라도 일단 현금을 보유해 다시 기회를 노려 수익을 만들어가야 한다. 다음 기회를 노리려면 현금 보유가 우선이다. 그래서 수익을 낸 경험이 있는 분들이 공통적으로 강조하는 이야기가 현금 확보다. 절호의 기회가 찾아왔음에도 수중에 현금이 없어 답답했던 경험을 해보았다면, 현금 보유의 중요함을 잘 알 것이다.

세계적인 투자 컨설턴트 찰스 엘리스(Charles Ellis)는 투자자가 가장 경계해야 할 것이 '현금 부족 상황'이라고 꼬집어 말한다. 그는 투자자의 수중에 현금이 없는 상황을 빗대어 '사막을 달리는 자동차의 연료가 떨어진 일'이라고 말하며 '정작 주식에 투자할 돈이 필요할 때 현금이 없는 상황을 경계해야 한다'고 강조했다. 필자 역시 이 말에 백번 동의한다. 불황이나 불경기 등으로 시장 상황이 투자자에게 호의적이지 않을 땐 그나마 현금 확보가 적절한 포트폴리오 가운데 하나가 된다. 이 점을 꼭 기억하셨으면 좋겠다.

'키움증권', '삼성증권', '미래에셋증권' 등 메이저급 실전 투자 대회에 참가해 여러 번 수상한 필자 또한 여전히 주식투자가 어렵다.

---

* PART 6, 〈'손절'을 망설이거나 두려워 마라〉 내용을 참고하라.

심지어 100만 원 수익조차 내기 힘들 정도로 상황이 안 좋은 시기도 늘 있다. 이럴 땐 비록 작은 시세차익일지언정 일단 수익이 나면 그보다 반가운 일이 또 없다. 작은 수익도 여러 번 반복하면 왠지 심리적으로 안정을 찾는다. 적은 돈이 쌓이고 모여 비로소 큰돈이 되는 법이다. 물론 실전 경험도 갖추고 조금씩 실력도 쌓아가면서 점점 큰 시세차익을 이루어 큰돈을 버는 것이 바람직한 투자자의 모습일 것이다. 크게 성공한 투자자의 시작도 처음엔 미약했을 것이다. 작은 시세차익을 반복해서 경험하고, 이를 자신의 것으로 만들어 크게 성공하는 투자자가 된다는 점을 꼭 기억하시기를 바란다. 필자 또한 그 과정을 경험한 투자자 중 한 사람이다.

3. 큰 시세차익[대(大) 시세차익]

주변의 누군가가 큰돈을 벌었다는 이야기를 들으면 부럽다. 그리고 주목하게 된다. 아무나 이룰 수 없는 그만의 특별한 경험과 성공담이 궁금하고 또 한편으로는 부러운 것이다. 큰돈을 번 사람은 세간의 이목을 끌게 마련이다. 주식투자로 큰 수익을 만들 수 있다면 얼마나 좋을까? 필자를 포함하여 책의 모든 독자의 꿈은 큰 부자가 되는 일일 것이다. 누군가에게는 꿈으로만 끝나겠지만, 어떤 이에게는 꿈을 넘어선 현실이 될 것이다. 큰 시세차익을 누리고 경험한다는 건 행복한 일이다. 그처럼 기쁜 일이 또 있을까…

장이 열린 이 시간, 시장에 참여한 모든 투자자의 바람은 주식투자로 큰 시세차익을 거두는 일이다. 필자 역시 그 희망을 단 하루도 잊은 적이 없다. 모든 투자자가 큰 시세차익을 만들어내고자 고군분투한다. 유튜브에 올라온 주식투자 강의를 들으며 투자 조언을 메모하고, 서점에 들러 베스트셀러를 사다 밑줄까지 그어가며 반복해서 탐독한다. 큰 시세차익은 모든 주식투자의 꿈이요 희망이다. 그리고 큰 시세차익을 얻고자 자신이 할 수 있는 모든 노력을 쏟아붓는다. 물론 주식 말고도 큰돈을 버는 방법이 있기는 하다. 로또나 카지노 등은 일확천금이란 단어가 빠르게 떠오른다. 노력 없이 운이 맞아 단박에 큰돈을 버는 방법이긴 해도 왠지 부정적인 단어들이다.

해마다 연말이 다가오면 주식시장에서 1년 동안 가장 많이 상승한 종목과 가장 많이 하락한 종목을 발표한다. 시장 상황이 여의치 않아 코스피지수가 하락하고 투자자 대부분 큰 손실을 경험한 상황에서도 큰 상승을 이룬 종목이 반드시 있다. 주식시장에서는 1~2개월인 단기간에 100~300% 상승하는 종목도 많다. 그리고 중장기인 1~2년에 걸쳐 300~500% 시세를 내는 종목도 정말 많다. 투자자마다 기준이 다르겠지만, **필자는 단기의 경우 1~2개월 내 200~300% 상승, 중장기인 1~2년 안에 300~500% 상승하는 종목이 큰 시세를 낸 거라고 정의한다.**

투자자 모두가 그토록 바라는 큰 시세차익을 얻으려면 무엇부터 해야 할까? 필자의 경험을 공유하자면, 일단 큰 시세차익을 만들 준비 작업 중 하나로 데이터부터 살펴보기를 권한다. 아무리 급한 일이 있어도 거르지 않고 시장을 살펴보는 꾸준함과 성실함이 필수다. 상승률 상위종목은 '한국거래소 정보데이터시스템'에서 확인할 수 있다.

① 한국거래소 정보데이터 홈페이지(data.krx.co.kr)에 방문하여 메뉴바에서 '쉽게 보는 통계' → '순위 통계'를 클릭한다.

② 조회를 원하는 기간을 설정하고 클릭하면 해당 기간에 가장 많이 오른(또는 내린) 종목 순위를 알 수 있다(기간을 일주일로 설정하면 해당 주의 상승률 상위종목을, 기간을 한 달로 설정하면 해당 달의 상승률 상위종목이 나타난다).

다음 자료에서 보듯 2023년 1월 2일부터 2023년 9월 15일까지 기간을 정하고 클릭하면 상승률 상위종목이 나타난다. 조회 결과, 제이엘케이[322510(909.52%)], 포스코DX[022100(789.60%)], 에코프로[086520(764.08%)] 등이 2023년 들어 가장 많이 상승한 종목임을 알 수 있다. 상승률이 높은 종목부터 살펴보는 일을 간과해선 안 된다. 별일 아닌 듯해도 이런 노력이 투자자를 부자로 만들고 성공으로 이끈다. 이런 데이터를 꾸준히 살펴봐야 한다. 필자는

| 2023년 1~9월, 상승률 상위종목 |

순위	종목명	시장구분	시작일 기준가	종료일 종가	대비	등락률	거래량		거래대금	
							합계	일평균	합계	일평균
1	제이엘케이	KOSDAQ	3,150	31,800	▲28,650	+909.52	105,591,848	596,564	2,303,407,791,960	13,013,603,344
2	포스코DX	KOSDAQ GLOBAL	6,250	55,600	▲49,350	+789.60	1,834,142,843	10,362,389	41,173,518,776,960	232,618,750,152
3	에코프로	KOSDAQ	103,000	890,000	▲787,000	+764.08	224,475,445	1,268,223	141,370,783,852,900	798,704,993,519
4	영풍제지	KOSPI	5,291	45,000	▲39,709	+750.50	230,859,540	1,304,291	8,988,861,501,270	50,784,528,256
5	뷰노	KOSDAQ	6,240	51,900	▲45,660	+731.73	157,831,949	891,706	5,020,501,701,370	28,364,416,392
6	루닛	KOSDAQ	29,800	223,500	▲193,700	+650.00	125,211,842	707,412	14,267,551,557,350	80,607,635,917
7	신성델타테크	KOSDAQ	7,800	47,350	▲39,550	+507.05	413,970,770	2,338,818	13,726,968,735,520	77,553,495,681
8	STX	KOSPI	6,069	35,400	▲29,331	+483.29	619,397,275	3,499,420	8,507,542,369,005	48,065,211,124
9	TCC스틸	KOSPI	9,350	53,700	▲44,350	+474.33	171,562,955	969,282	5,772,571,515,665	32,613,398,394
10	엠로	KOSDAQ	13,150	71,500	▲58,350	+443.73	79,149,081	447,170	4,368,640,868,830	24,681,586,830
11	금양	KOSPI	23,900	129,300	▲105,400	+441.00	582,729,796	3,292,259	41,460,599,734,000	234,240,676,463
12	레인보우로보틱스	KOSDAQ	34,450	181,800	▲147,350	+427.72	305,388,676	1,725,360	32,274,504,530,550	182,341,833,506

출처: 한국거래소 정보데이터시스템(http://data.krx.co.kr/contents/MDC/MDI/mdiLoader/index.cmd?menuId=MDC0302)

상승률 상위종목에 오른 종목을 매수했는지, 수익을 얼마나 냈는지 확인한다. 당연히 주식투자에서 100% 승률은 없다. 헝가리 출신의 투자 그루(GURU) 앙드레 코스톨라니(André Kostolany) 선생은 '주식투자는 49% 패배를 경험하고, 51% 승리함으로써 수익이 나는 일'이라는 투자 명언을 남기기도 했다. 실패한 투자보다 성공한 투자 비율이 더 높아야 한다는 의미일 테고, 비록 실패했더라도 더 큰 성공으로 지난 실패를 덮을 수 있다는 뜻이기도 하다.

찬찬히 자료를 살펴보면서 반성과 성찰의 시간을 갖는다. 크게 오른 종목을 매수하지 못했다면 매수하지 못한 이유를 찾고, 매수했더라도 큰 수익을 내지 못하고 서둘러 매도했다면 왜 그런 판단을 했는지 돌아보고 반성한다. 이런 시간을 가지면 놀랍게도 눈에 안 보이던 기회가 더 많이 눈에 들어온다. 그리고 큰 시세차익 만

실패를 부끄러워하지 말되, 반복하지도 마라!

누구나 실수하고 실패를 경험한다. 주식투자에서도 100% 승률은 없다. 대부분의 투자자가 성공의 경험보다는 실패의 경험이 더 많을 것이다. 그런데 유독 주식투자에서는 나를 투자 실패로 이끈 잘못된 습관이나 관행을 고치려고 하지 않는다. 또한 고치기도 매우 어렵다. 또다시 실패를 가져다준 익숙한 방법으로 투자를 반복한다. 대부분이 그렇다. 고지식한 이야기로 들리겠지만, 실수나 실패는 반복하지 않는 것이 중요하다.

인생을 살아갈수록 배우고 느끼는 일들이 많다. 인생이든 투자든 간에 우리가 꼭 기억하고 지켜야 할 진리는 단순 명료하다. 미사여구나 구구절절한 설명이 필요 없다. 누구나 실수와 실패로부터 자유로울 수 없다. 사람은 실수하고 실패하면서 성장한다. 그러나 이런 잘못을 반복하면 안 된다. 실수와 실패에 익숙해지면 실수하거나 실패를 해도 그 사실 자체를 인지하지 못한다. 투자 실수가 자연스러워지고 나도 모르는 사이 실패를 반복하는 루틴이 만들어지면 손실만 반복할 뿐이다. 절대로 수익을 낼 수 없다. 투자 실수와 투자 실패가 반복되어 습관화되면 계좌 잔고는 계속 줄어들고 더 이상 주식투자를 할 수도 없다.

필자는 주말과 월말, 그리고 연말마다 상승률 상위종목을 꼼꼼하게 살펴 투자 성과를 돌아보며 반성하는 시간을 갖는다. 그리고 또다시 비슷한 기회, 비슷한 흐름이 시장에 나타나면 매수해서 큰 수익을 내도록 준비한다. 공부를 게을리할 수 없는 이유다. 반성과 성찰은 새로운 기회를 만나도록 해준다. 부끄럽고 숨길 일이 아니다.

들기로 연결될 확률도 높아진다.

주식투자에서 대박을 가져다주는 큰 시세차익, 다른 말로 대(大)시세 내는 종목 고르기와 매매법, 추격매수 등은 뒤에서 상세히 다룰 예정이다. 필자의 기준임을 전제로 말씀드리자면 '1~2개월 내 200~300% 상승, 중장기인 1~2년 내 300~500% 상승하는 종목'이 큰 시세를 내는 기준이라는 것 정도만 소개하고 마무리한다.

BUY
SELL

A PROFITABLE

PART 2

큰 시세차익을 얻기 위한 준비
(시장 살펴보기)

STOCK INVESTMENT

Intro

큰 시세차익을 만드는 기본 공부

시장 살펴보기는 큰 수익을 만드는 데 필요한 기본 중에 기본이라고 할 수 있다. 현재 또는 가까운 미래에 벌어질 주식시장 상황 파악, 주가의 등락 예측, 매도·매수 타이밍 잡기 모두 시장 살펴보기가 선행되어야만 가능한 일이다. 시장이 돌아가는 상황을 알아야 좋은 예측과 더불어서 수익이 나는 투자 결과가 만들어진다. 특히 우리 실생활에 큰 영향을 주는 금리(金利)의 변화는 주식투자에서도 반드시 참고해야 하는 자료다.

'미연준(FED)에 절대 맞서지 마라!'

이 말은 세계 금융의 중심지 뉴욕 월스트리트(Wall Street)에서 유래했다는 투자 격언이다. 모든 투자자가 험한 시장에서 살아남고 또 수익을 내고자 한다면 미연준의 금리정책에 맞서지 말고 순응해야 한다는 것쯤은 상식이다. 당연히 금리가 오를 때와 내릴 때마다 주식투자 전략도 다를 수밖에 없다. 투자자는 글로벌 시장이 어떻게 돌아가는지 파악하고 투자해야 승률이 조금이라도 높아진다.

잘 알려진 '기본적 분석'과 '기술적 분석'도 큰 틀에서 파악하자면 시장 살펴보기에 포함된다고 말할 수 있다. 필자는 위의 두 가지 용어 대신 개별기업 살펴보기(기본적 분석), 차트 살펴보기(기술적 분석)라는 말로 이야기를 풀어갈 생각이다. 개별기업과 차트 살펴보기의 경우, 많은 사람이 너무나 잘 아는 내용인지라 생략할까 고민했다. 그러나 옛 속담에 '아는 길도 물어서 가라'고 했다. 막상 아는 것 같지만 어설프게 아는 사람도 많을 테고, 잘 알더라도 실전 주식투자에서 제대로 적용, 참고하는 데 생략하는 분도 많은 듯하다. 이에 투자자 여러분의 주의를 환기하는 의미에서 간략히 원고를 썼다. 개별기업 살펴보기와 차트 살펴보기는 절대로 간과해선 안 된다. 비유하자면 어지럽게 놓인 엉터리 보기들 중에서 올바른 답을 찾기 위한 공부라고 할 수 있다.

PART 2에서는 '시장 살펴보기', '개별기업 살펴보기(기본적 분석)', 차트 살펴보기(기술적 분석)를 정리해 소개한다.

Chapter 1

시장 상황 살펴보기 (시장분석)

시장분석이라고 하면 왠지 어려워서 전문가만 다루는 전문 영역이라고 생각하기 쉽다. 그래서 일반 투자자와 상관없는 이야기라는 선입관을 가질 수 있다. 부딪혀보지도 않고 어려울 것으로 생각해 지레 피한다고 능사가 아니다. 시장분석은 마음 편히 주식시장을 살펴보는 일쯤으로 가볍게 생각해도 좋을 것 같다.

시장분석은 한마디로 '**주식투자를 하기 전, 지금이 주식을 매수할 시점인지 또는 보유한 주식을 매도할 시점인지를 판단하는 일**'로 정리할 수 있다

1. 시장 상황을 알아야 하는 이유

우리나라 시간 기준으로 새벽 5시쯤(또는 6시쯤)이면 미국 주식시장이 마감한다. 우리나라 주요 경제지를 포함한 언론과 각종 매체는 미국 주식시장의 동향을 정리해 뉴스로 소개하기 바쁘다. 주가가 상승 또는 하락한 이유와 전반적인 경제 상황, 그리고 몇 가지 경제 지표 자료를 반드시 부연 설명한다. 경제 지표 자료에는 '금리, 고용지표, 물가지수, 유가 동향' 등 여러 가지 경제 지표 항목이 포함된다. 과거에는 경제 지표 통계자료라고 하면 소수의 경제 전문가에게만 관심 있는 이야기일 뿐, 바다 건너 멀리 떨어진 대한민국에서 소액으로 주식투자를 하는 일반 투자자에게는 크게 중요하지 않은 자료로 여겨지기도 했다.

그러나 지금은 전문가뿐 아니라 일반인도 미국에서 발표하는 경제 지표 추이에 관심을 가진다. 미국의 금리정책, 미연준(FED) 의장의 말 한마디가 세계 경제와 주식시장에 지대한 영향을 미치기 때문이다. 심지어 국내 시장에 상장된(대다수 투자자가 이름도 잘 모르는) 시총이 작은 주식에도 금리가 직접적인 영향을 미친다. 주가 흐름도 마찬가지다. 미국 시장에서 상승 또는 하락한 섹터는 곧바로 당일 날 한국 주식시장에도 똑같이 반복된다. 가령, 필라델피아 반도체지수가 급등하면 한국 주식시장에서 반도체 섹터가 급등하고, 테슬라가 상승하면 2차전지 섹터가 상승하는 것이다. 우리나라 시장이 미국 시장을 따르는 동조현상(커플링; Coupling)은 무척 오래된 일이고, 매우 익숙한 일이기도 하다.

지금은 지구 반대편에서 벌어지는 일을 누구나 거의 실시간으로 알 수 있는 시대다. 사건, 사고뿐 아니라 누군가가 공개하는 정보는 빠르게 공유되어 전달된다. 이런 사회에서 대부분의 투자자가 경제 전문가 못지않은 경제 지식을 갖추고 있다. 그렇다고 주식투자를 하면서 세상의 모든 경제 지식을 알아야 할 필요는 없다. 그리고 사실 크게 성공하기를 원하는 투자자가 알아야 하는 시장 분석 능력도 실상은 대단한 것도 아니다. 다만, 미국 주식시장에

| 삼성전자, 필라델피아 반도체지수 동조현상(커플링) |

가장 큰 영향을 미치는 금리 정도를 알면 여러 가지로 도움이 된다. 그리고 미연준의 금리 결정에 큰 영향을 미치는 지표인 물가지수(Price Index, PI)*와 고용지수(Employment Index, EI)**도 참고하면 좋다. 미연준이 결정하는 금리정책은 전 세계에 엄청난 영향을 미치고 우리나라 주식시장에도 직격탄으로 작용한다.

---

* 미국의 물가지수(PI)는 소비자물가지수(Consumer Price Index, CPI)를 기준으로 측정한다. 미국 노동통계국(Bureau of Labor Statistics, BLS)에서 매월 발표하는 소비자물가지수(CPI)의 경우 소비재와 서비스의 가격 변동을 추적해서 물가가 올랐는지, 내렸는지를 측정하는 지표다. 참고로 코로나 전후 미국의 3년간 물가지수 추이는 2019년을 100으로 기준으로 했을 때, 2020년에는 매우 안정적인 물가상승률인 100을 기록했고(코로나 대유행으로 물가가 안정적이었다), 2021년에는 104.2를 기록했다. 2021년의 결과는 2020년 대비 물가가 4.2% 올랐다는 의미다.

따라서 우리는 금리 동향뿐 아니라 미국 주식시장 3대 지수(다우존스지수, 나스닥지수, S&P500지수)의 흐름과 어떤 업종이 상승 또는 하락했는지를 살펴볼 필요가 있다. 당연히 우리나라 코스피, 코스닥지수와 개별종목에 큰 영향을 주기 때문이다.

| 코스피, 다우존스 동조현상(커플링), 2020년 1월~2023년 9월 |

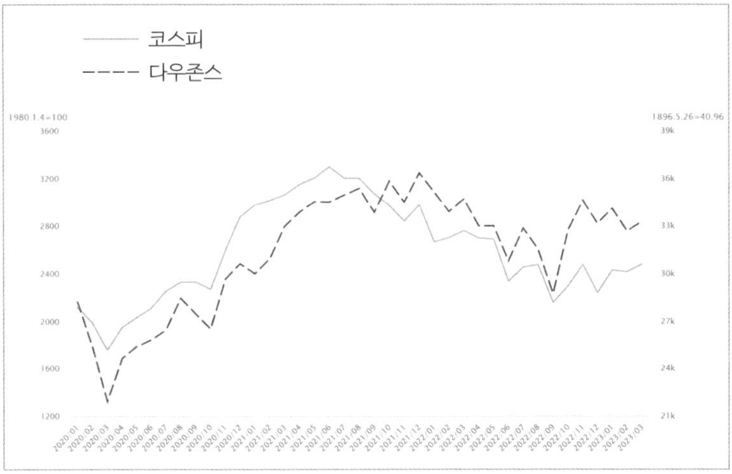

출처: 한국은행 경제통계시스템(https://ecos.bok.or.kr/#/SearchStat)

** 고용지수(EI)는 폭넓은 의미의 경제 지표 가운데 하나로, 특정 산업 또는 부문의 기업을 대상으로 고용이 늘었는지 줄었는지, 또는 변화가 없는지를 파악해 계산한 지표다. 미국 노동통계국(BLS)은 매월 첫 번째 금요일 실업률, 경제활동인구, 임금상승률 등을 포괄한 고용지수(〈고용보고서〉)를 발표한다. 투자자는 향후 미연준의 정책이 어떻게 흘러갈지 가늠하는 자료로 활용한다. 우리나라 통계청도 경제활동인구와 취업자, 실업자 수를 파악하여 매월 발표한다.

2. 시장을 파악하는 기본, 금리(金利)

주식투자를 하다 보면, 국내외 크고 작은 사건이나 이슈가 시장 전체 또는 부분적으로 영향을 미친다는 걸 알 수 있다. 원·달러 환율이 급등하는 시기라면 주로 원자재를 수입하는 우리나라에서는 수입물가 상승으로 경제적 타격을 입고 해당 업종의 주가가 오르는 모습을 보여주곤 한다. 반대로 원화가 달러 대비 강세를 보이는 시기에는 주로 달러 부채가 많은 항공주, 식품주 등이 상승세를 보여주었다. 금리가 일반인에게 큰 상관이 없는 듯 보이지만, 사실 금리가 우리 삶과 경제에 미치는 영향은 생각보다 어마어마하게 크다.

글로벌 시장이나 국내 시장, 나아가 경제 전반에 가장 큰 영향을 미치는 이슈는 미국의 금리정책이다. 중국이나 일본처럼 독자적으로 금리정책을 펴는 나라가 없는 건 아니지만, 우리나라 한국은행을 포함하여 전 세계 각국의 중앙은행은 미국의 금리정책과 궤를 같이할 수밖에 없는 구조다. 따라서 주식투자자라면 미연준과 우리나라 한국은행의 금리정책을 유심히 지켜보며 금리 상승기와 금리 하락기에 따른 주식투자 결정을 내려야 한다. 상황에 따라 투자법이 달라져야 하기에 금리를 살펴 전략적으로 대비하는 것이 좋다. 금리 상승과 금리 하락기의 주식투자에 대해서는 아래에서 정리해 소개할 것이다.

그렇다면 미연준은 어떤 기준에 따라 금리를 올리고 내릴까? 그 이야기를 조금 더 해야 할 것 같다. 미국 중앙은행인 미연준은 주요 경제 정책을 만들 뿐만 아니라 통화량을 조절하고 금리를 결정하는 일을 한다. 금리 결정의 경우 통화정책의 일관성을 유지하기 위하여 통화정책 준칙을 바탕으로 기준금리를 결정한다. 기본적으로 소비자물가상승률(CPI)이 목표 수준보다 높거나 실업률이 적정 수준이 유지될 때 금리를 인상한다(상황에 따라 유동적임). 그리고 반대의 경우 기준금리를 인하하는 것이 통화정책 준칙이 시사하는 통화정책 방향이다. 과거의 예를 살펴보면 미연준이 기준금리를 결정할 때 물가보다 실물경기(고용시장)를 상대적으로 더 중요하게 생각했다는 사실을 참고하면 도움이 될 것 같다.

참고로, 미연준의 금리 결정은 연방공개시장위원회, 약칭 'FOMC(Federal Open Market Committee) 회의'*에서 이루어진다. FOMC는 미연준의 주요 의사결정 기구로 이 회의에서 전반적인

---

* FOMC 회의는 6주에 1회씩, 1년에 총 8회 열린다. 위원회 구성은 연준이사 7명과 연방준비은행 총재 12명으로 총 19명이다. FOMC에서 미연준이 펼쳐갈 각종 금융정책이 만들어진다. 경제가 위축됐다 싶으면 시장에 돈을 풀어 유동성을 확대하고, 최근의 상황처럼 인플레이션 압력이 높을 땐 테이퍼링(Tapering, 양적 완화 축소) 정책, 즉 유동성 공급으로 시장에 넘쳐난 돈을 옥죄어 회수한다. 이때 금리가 결정적인 역할을 한다. 경기 부양이 필요해 시장에 유동성을 공급할 땐 금리를 낮추고, 시장에 많은 돈이 풀려 인플레이션 상황이 연출되면 금리를 높이는 것이다. 이처럼 통화 공급량과 금리는 밀접한 관계가 있고, 투자자라면 주식시장에 큰 영향을 미치는 금리정책을 예의주시하면서 대응해야 한다.

경제 상황을 분석하고 적절한 대응책을 만들어 전 세계에 공개한다. 때로는 매파적 또는 비둘기파적 발언으로 시장 분위기를 조절하기도 한다. 미연준의 금리 결정은 글로벌 경제와 금융시장에 엄청난 영향력과 파급 효과를 제공한다. 따라서 경제 전문가뿐 아니라 시장에 참여한 모든 사람이 미연준의 결정을 주시하고 분석할 필요가 있다.

다시 본론으로 돌아와 금리 상승기와 금리 하락기에 투자자가 어떻게 대응하고 어떻게 주식투자를 해야 좋을지 살펴보도록 하자.

3. 금리 인상 시기의 주식투자

경기가 너무 과열되거나 유동성이 넘쳐 인플레이션 현상이 나타나면 정책 당국은 금리를 인상한다. 코로나 종식 이후 전 세계적으로 동시에 나타난 금리 인상 시대를 기억할 것이다. 금리를 높이면 인플레이션을 억제하는 효과가 발생하기 때문이다. 금리 인상 시기에는 시장에 풀렸던 돈이 축소되기 때문에 주식시장에도 큰 변화가 나타난다.

참고로 미국은 1990년대부터 2023년까지 여섯 차례 금리 인상 시기를 가졌다. 2020년에는 코로나 대유행으로 전 세계가 전대미문의 위기 상황에 놓이자, 미국을 비롯한 우리나라도 생활지원금 등의 형식으로 무제한 재정확대 정책을 실행하여 돈을 풀었다. 넘치는 유동성은 주가와 부동산의 가격을 크게 올렸다. 어쩌면 폭등이라는 말이 어울리는 표현일 수도 있다. 그 결과 초고도 인플레이션 현상이 나타나는 등 심각한 부작용이 발생했다. 이에 미연준은 급격한 금리 인상정책을 빠르게 펼쳐가기 시작했다. 자료에서 보듯 미연준은 2022년 초부터 예외적으로 가파른 금리 인상정책을 진행했다. 여러분의 귀에도 익숙할 법한 빅스텝(0.5% 인상), 자이언트스텝(0.75% 인상)이라고 불린 금리 인상을 강행한 것이다.

우리나라는 2021년 6월경 마침내 코스피지수가 3300포인트

| 미국의 금리 인상 추이 |

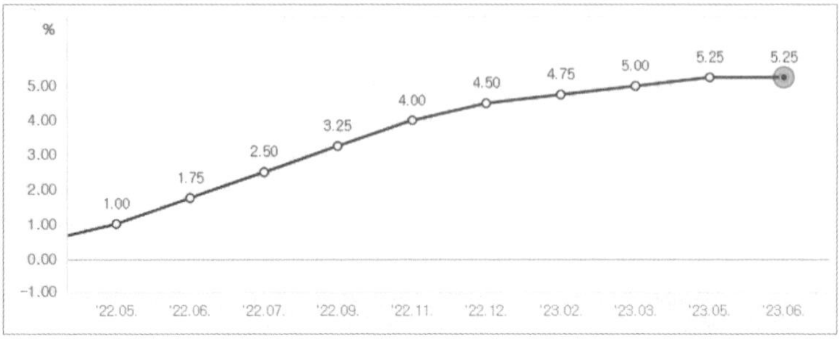

출처: FOMC

까지 상승했지만 이후 미국 발(發) 금리 인상의 여파로 시장은 곧 하락세로 돌아섰다. 그리고 불과 1년여 만인 2022년 10월에는 2150포인트까지 지수가 크게 밀렸다. 2021년 6월 코스피지수 고점 3300포인트 대비 35%나 떨어진 것이다. 주가가 계속 하락하고 바닥을 예측하지 못한 이유는 미국의 금리 인상 기간과 강도를 누구도 알지 못했기 때문이다. 이는 지나고 나서야 아는 일들이다. 미국에서 코로나 대유행 이후 첫 금리 인상은 2021년에 시행했다. 처음에는 0.25% 수준이었으나 인플레이션이 잡히지 않자 2022년에는 네 차례에 걸쳐 0.75%포인트 인상을 단행했다. 이런 조치로 시장에 넘쳐나던 유동성이 빠르게 축소되었고 주식시장은 하락을 거듭할 수밖에 없었다. 그리고 미국 발 금리 인상이 마무리 국면에 이르자 주가는 바닥을 치고 반등하기 시작했다.

우리나라 코스피지수, 미국 나스닥지수가 기술적으로 데드 크로스(Dead Cross)*** 가 발생할 때에는 신규 매수를 멈추고 지수의 '진바닥'이 나올 때까지 기다리고 확인해야 한다.** 그리고 아무리 매수 주문을 내고 싶어도 과감히 투자를 쉬는 것이 현명한 투자 전략이다. 그렇게 바닥을 확인한 후 **반등하는 구간에서는 '실적이 수반되는 섹터에서 가장 먼저 반등'이 나타난다.** 우리나라 주식시장의 경우 2차전지 종목 군과 기아(KIA, 00270)와 같은 자동차 주식이 가장 큰 반등을 보여주었다.

4. 금리 인하 시기의 주식투자

금리 인하 시기에는 투자가가 어떻게 대처해야 좋을까? 2008년 미국 금융위기나 2020년 코로나 팬데믹 유행처럼 전 세계 경제를 빠른 속도로 위축시키는 위기나 징후가 나타나면 정책 당국은 금리 인하 카드를 꺼낸다. 투자와 소비 심리가 위축되어 경제가 돌지 않으면 더 크고 심각한 위기에 빠질 거라는 우려 때문이다. 금리를 인하하는 시기에는 시장에 유동성을 공급(금리 인하)하여 위축된 경제와 심리를 살리려는 정책을 펼쳐 나간다. 큰 위기가 닥칠 때마

---

* 기술적 분석, 데드크로스 내용을 참고하기 바란다.

| 금리 인하 시기의 코스피지수 |

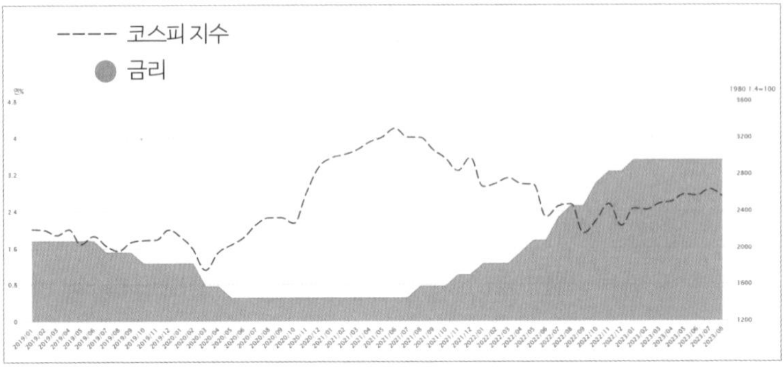

출처: 한국은행 경제통계시스템(https://ecos.bok.or.kr/#/Short/3a3bc8)

다 반복해서 나타난 현상이다. 시장 전반에 유동성이 많은지, 적은지에 따라 주식시장도 여러 가지 모습을 보여준다. 필자의 투자 경험상 금리를 인하하는 시기에는 대중의 이목을 많이 끌고 시장에서 이슈가 되는 시장 중심주가 가장 길고 오랫동안 상승한다.

2020년 코로나 팬데믹 여파에 따른 금리 인하 시기에 큰 성과를 낸 몇몇 기업이 있었다. 당시에는 삼성전자, 네이버, 카카오 등 대형 IT주 및 인터넷 게임주와 같은 성장주, 진단키트를 비롯하여 코로나 치료제 관련 제약·바이오 주식이 매우 큰 상승세를 보여주었다. 금리 인하 시기에는 주식투자도 신중하게 접근해야 한다. 기준금리를 인하한다는 건 우리나라뿐 아니라 세계 경제에 위기가 왔다는 구체적인 신호가 되기 때문이다. 지난 20년 동안에도 여러 차례의 경제 위기가 있었다. 너무 오래된 과거의 일은 논외로 하고 우리가 기억하는 두 차례의 경제 위기 상황은 2008년 리먼사태*와 2020년 코로나 팬데믹이다. 이런 일이 벌어지면 소비 심리가 위축되고 기업에도 위기가 찾아온다.

미국을 비롯한 세계 각국 중앙은행은 금리를 낮추어 유동성을 공급해 경제 살리기에 매진한다. 금리 인하 시기의 주식투자는 시장에 주목을 받아 두각을 보이는 종목 출현을 기다리며 기회를 노려야 한다. 경제 위기로 인한 금리 인하 시기에 두각을 보이는 기업이 새로운 시대를 맞아 가장 크고 오랫동안 상승하기 때문이다. 이는 예측하지 못한 경제 위기가 기존의 시장 질서를 무너뜨리고 새로운 판도를 만들어 시장을 재편하는 촉매 작용을 하기 때문이다. 새롭게 재편된 시장 안에서 새로운 시장 중심주가 탄생하는 것이다.

예컨대 2020년 코로나 대유행은 '비대면'이라는 기존에 없는 새 모델을 만들어냈다. 비대면이라는 시장 질서 패러다임을 등에 업고 두각을 보이며 큰 수혜를 입은 기업이 씨젠, 휴마시스 등 진단키트 기업이었다. 그리고 백신을 개발하는 기업인 신풍제약이나 비

---

* 2008년 9월 15일 미국의 투자은행 리먼브라더스 파산으로 시작된 글로벌 금융위기.

대면 시대의 수혜주로 등극한 네이버, 카카오도 큰 실적을 거두었다. 이처럼 새 시대가 요구하는 가치에 부합한 기업은 새 시장에서 중심주가 되어 오랫동안 큰 폭의 상승을 보여준다. 위기 속에 기회가 있다는 말은 바로 이를 두고 하는 표현이다.

한편, 경제가 더 나빠지지 않는 상황이 지속되면서 금리 인하 정책이 펼쳐질 땐 주식시장에 호재로 작용한다. 그 이유는 심리가 어느 정도 안정되고 넘치는 유동성이 자본시장으로 흘러들어 주가를 끌어올리기 때문이다. 결론적으로, 금리 인하 시기(경기 악화 시기)에는 새 패러다임이 만들어지는데 이때 주식투자자는 새로운 시장 중심주 찾는 일에 매진, 노력해야 한다.

참고로, 금리 인하 초기에는 전반적으로 경기 침체 우려가 커짐에 따라 투자심리가 악화되고 시장이 하락하는 모습을 보여준다. 이런 시기에는 빠르고 신중한 투자의사 결정이 필요하다. 그리고 경기가 어느 정도 안정되어 더 나빠지지 않을 거라는 전망이 나오면, 그래서 금리가 더 내려가지 않을 거라고 예측되어 시장에 유동성이 확대, 공급되면 넘치는 유동성이 주식시장 상승을 유도하고 주가 역시 오버슈팅(Overshooting)을 한다. 따라서 이런 시기에는 더욱 적극적으로 주식투자에 나설 필요가 있다. 금리를 인하하는 초기와 금리 인하가 지속되더라도 시장이 어느 정도 안정적인 모습을 보이는 시기에 따라 투자 대응이 달라야 한다.

다시 말하지만, 주식시장을 포함한 실물 경제가 흘러가는 모습을 살피고 파악하는 일은 더 이상 전문가만의 고유 영역이 아니다. 세상에 공개된 뉴스와 정보만으로도 누구나 충분히 알 수 있는 내용들이다. 주식투자로 수익을 내고 큰 돈을 벌기 원한다면 세상이 돌아가는 흐름 파악, 그중에서도 금리가 앞으로 어떻게 변해갈지 예측하고(상승할지 또는 하락할지), 관심을 가져야 한다.

금리 인상 또는 인하 시기의 주가 방향이나 흐름이 마치 수학 공식처럼 딱 맞아 떨어져 반드시 떨어지거나 오르는 건 아니지만, 역사적으로 대략의 흐름이 그래왔다는 걸 강조해서 말하고 싶다. 흐름이 방향을 결정한다는 걸 기억해야 한다.

Chapter 2

개별기업 살펴보기
(기본적 분석)

모든 주식투자자가 알고 싶은 정보는 내일 주가가 오를지 떨어질지 예측하는 일이다. 안타깝지만 주가를 정확히 맞출 수 있는 사람은 없다. 신도 알 수 없는 영역이 주가 맞추기다. 미래의 주가를 정확히 아는 일이 불가능하다지만 대략이나마 가늠해 어떻게 흘러갈지 예측하는 일은 해볼 수 있다. 그중 하나가 '개별기업 살펴보기'다. 기존의 익숙한 말로 적으면 '기본적 분석'이다. 이를 사전적인 의미로 표현하면 왠지 딱딱한 느낌이 들기도 한다.

'기업의 내재가치를 분석해 기업의 주가 흐름을 예측하는 일'

좀 더 풀어서 정리하면, '기업이 시장에 공개한 재무제표, 손익계산서, 현금흐름 등의 자료를 토대로 해당 기업의 재무 상태와 경영 상황을 분석하는 일'이 개별기업 살펴보기다. 그렇게 분석한 기업이 시장에서 어떤 평가를 받는지 가늠하는 일 또한 개별기업 살펴보기에 포함된다.

1. 기업 재무제표에 투자의 기본이 있다

어떤 일이든 분석하고, 눈여겨 살펴보는 일은 중요하다. 벤저민 그레이엄(Benjamin Graham)*은 《현명한 투자자》라는 책에서 다음과 같은 투자 명언을 남겼다.

* 벤저민 그레이엄(1894~1976년)은 '가치투자의 아버지, 개척자'라는 수식어가 붙는 투자 대가 중 한 명이다. 그는 가치투자라는 개념조차 없었던 시절, 이런 말을 남기기도 했다. "투자로 성공하려면 실제 가치보다 가격이 저렴한 주식을 사야 한다!" 이 말이 현재 우리에게 익숙한 '가치투자 개념'으로 자리 잡은 것이다.

'철저한 분석으로 원금을 안전하게 지키고 수익을 내는 일이 투자다. 그렇지 않으면 투기다.'

투자에 앞서 우리가 기업을 왜 살펴보고 분석해야 하는지, 당위성을 일깨워주는 이야기다. '기본적 분석'을 다른 말로 풀어 표현한 것이 '개별기업 살펴보기'라고 했다. 말 그대로 내가 투자하고 싶은 기업의 내외부 상황을 속속들이 들여다보는 일이다. 특히 해당 기업의 재무제표 내용 중에서도 재무상태표, 손익계산서, 현금흐름표는 가능하면 꼭 살펴보고 숙지할 필요가 있다. 내 생각에 이들 세 가지가 재무제표의 핵심이다.

| 재무제표의 핵심 |

재무상태표	기업의 재산 상태를 알 수 있다. 자산과 부채, 그리고 자본 항목으로 나뉘어 있다.
손익계산서	기업의 영업실적을 반영하므로 매출, 영업이익, 당기순이익을 잘 살펴봐야 한다. 3년간 항목별 추이나 분기별 실적 추이를 반드시 검토해야 한다.
현금흐름표	기업의 현금 유입(+)과 유출(-) 상태를 나타내는 지표다. 영업활동(+), 투자활동(-), 재무활동(-)에 따른 현금 유·출입을 확인하는 일도 중요하다.

해당 기업의 재무제표와 함께 영업이익률, 경쟁력, 지속성장성 등도 꼼꼼히 들여다보고 분석하여 기업의 내재가치(內在價值,

Intrinsic Value)가 얼마나 되는지 평가해야 한다. 그리고 투자해도 괜찮은지 적정 여부를 판단한다. 투자자라면 기업의 내재가치 개념도 잘 알아야 한다. 투자론이나 재무론에 따르면, 내재가치를 아래처럼 정의한다.

> 내재가치란 '외부적인 평가나 시장 가격에 영향을 받지 않는 기업 자체 고유의 가치다!'

하루에도 수십 번 오르내리는 주가는 내재가치를 기준으로 위에 놓이기도 하고 반대로 아래에 놓일 수도 있다. 만약 주가가 내재가치보다 위에 놓이면 고평가되었다고 말하고, 아래에 놓일 경우라면 저평가되었다고 한다. 내재가치에는 기업의 현재 전체 자산가치와 함께 미래의 수익까지 포함하여 눈에 안 보이는 가치까지 포함해야 한다(여기에는 당연히 수익뿐 아니라 손실도 포함된다). 내재가치를 기준으로 주가가 저평가된 것으로 보이면 매수 대상이지만, 터무니없이 고평가된 것으로 여겨진다면 당연히 매수를 유보하거나 상황을 더 지켜볼 필요가 있다.*

---

* 사람들이 잘 모르는 사실이 하나 있다. 컴퓨터 HTS 시스템에서 보이는 개별기업의 주가는 기업의 내재가치가 모두 반영되지 않는다는 점이다. 현재 시장 가격에는 앞으로 기업이 사업을 영위하면서 벌어들일 수익과 손실이 빠져 있다. 전문가들은 외부 영향에 흔들리지 않는 고유한 기업의 내재가치를 알아내고자 여러 가지 모델을 만들어냈다. 그중 특히 '현금할인모델(Discounted Cash Flow Models, DCF)은 주식투자에서 많이 활용하는 대표적인 내재가치 평가법이다.

내재가치 = 기업의 현재 자산가치 + 기업의 미래 수익가치

과거와 현재의 기업가치가 주가에 반영되었다고 가정하면, 기업의 미래가치인 기업의 실적이 상승할 것으로 보일 때 주가가 오른다. 하지만 기업의 현재 자산가치와 미래 실적이 반영된 상태로 주가가 상승했다면 미래의 추가적인 수익가치가 더 올라갈 것으로 예측되어야 주가가 추가로 상승할 수 있다. 만약 미래 실적이 나빠질 것으로 전망되면 현재 아무리 실적이 좋더라도 주가는 하락할 수 있다는 걸 기억하자. 결국 기업의 현재가치가 고평가, 저평가, 또는 적정 수준인지를 판단해야 하고 미래가치가 더 상승할지 하락할지 파악해야 보다 정확한 주가 예측이 가능하다. 이런 판단이 현실적으로 매우 어렵지만, 개별기업 살펴보기(기본적 분석)로 투자할 기업의 적정 주가를 예측할 수 있도록 노력해야 한다.

정리하면, 개별기업 살펴보기를 통해 특정 주식의 주가가 내재가치보다 낮을 때(저평가) 매수하고, 주가가 내재가치보다 높아지면(고평가) 매도하는 것이 핵심이다. 이 정도는 누구나 아는 상식이다. 특정 종목의 주가는 단기적으로는 기업의 내재가치에 비해 이슈나 호재성 뉴스 또는 급등 테마에 엮이면 급격히 상승하거나 오버슈팅하는 일이 많다. 반대로 외부의 악재, 시장 전체의 하락 등으로 주가가 내재가치보다 과도하게 하락하거나 급락하는 일도 있다. 이처럼 어떤 주식의 현재 시장가와 내재가치 사이에는 차이가

나타난다. 이런 갭(Gap)이 나타나기 때문에 투자 기회가 만들지는 것이다.

한편, 주가는 대체로 장기적으로 보면 결국 기업가치에 수렴해 움직인다. 현재 가격이 크게 오른 주식이 더 오를 것 같지만 종국엔 내재가치에 수렴하여 하락하고, 내재가치보다 낮은 주가라면 결국 가치에 수렴하여 올라간다. 이런 면에서 보자면 주가의 움직임은 꽤나 합리적이다. 반복해서 말하지만, 내재가치보다 주가가 낮게 평가된 기업을 찾아 투자해야 수익을 낼 수 있다. 당연히 주가가 낮은 구간에서 매수하려는 노력이 필요하다.

투자 이론상으로는 위에서 장황하게 말한 내용이 무척 중요하지만, 사실 주식을 매수할 때마다 해당 종목의 기본적 분석을 모두 들여다볼 필요는 없어 보인다. 그러나 꼭 확인해야 할 것들이 있다. 어떤 주식을 매수하기 전, 투자자가 반드시 확인할 내용은 CB(전환사채, Convertible Bond), BW(신주인수권부사채, Bond with Warrant) 물량 조회, 유무상증자* 여부와 신주가 상장되는 날짜 등이다. 실전 주식투자에서는 이 내용을 확인하는 것이 정말 중요하다.

부자가 되는 주식투자 상식 ⑤

CB(전환사채)와 BW(신주인수권부사채)가 주가에 미치는 영향**

기업이 경영 활동을 하면서 의무적으로 대내외에 공개해야 하는 정보는 기업공시 자료로 확인할 수 있다. HTS뿐 아니라 네이버 증권 홈에서도 누구나 검색으로 공시 내용을 들여다볼 수 있다. 만약 여러분이 투자하고 싶은 기업의 공시 중 CB, BW 이야기가 눈에 띈다면 해당 내용을 자세히 살펴보아야 한다. 이 내용은 매번 강조해도 지나친 이야기가 아니다. 투자 손실을 막는 최후의 보루라고 생각해야 한다. 그리고 이는 소중한 자산의 손실을 막는 최소한의 공부이기도 하다.

---

* 증자는 기업이 새로운 주식을 발행하여 자본금을 확대하는 일이다. 기업이 증자하는 이유는 운영자금 조달, 새로운 시설 확충, 부채 상환, 재무구조 개선, 자본 확대에 따른 신용도 제고 등 여러 가지다. 그런데 증자라는 말 앞에 유상, 무상이란 말이 붙어 있다. 단어가 가진 뜻 그대로다. 유상증자는 현금을 받고 새 주식(신주)을 유통하는 일이다. 유상 주식이 늘어나니까 실제로 기업의 자산이 증가하는 효과가 있다. 반면에 무상증자는 자본금을 늘리되 그만큼 동일 금액의 신주를 발행해 주식 수가 늘어나는 것이다. 실제 자본 투입 없이 주식 수가 늘어 주식자본이 증가한다. 그런데 유상이든 무상이든 간에 이런 이슈나 발생하면 주가가 일시적으로 떨어진다. 이를 '권리락 주가'라고 부른다. 시장 원리에 따라 공급이 늘면 당연히 가치가 떨어지게 마련, 시간을 거치며 주가가 합리적인 가격을 찾아갈 때까지 혼란한 모습을 보여주곤 한다.

** 2023년 6월 23일 〈조선비즈〉 기사를 참고하라(biz.chosun.com/stock/stock_general/2023/06/23/SQM4D6KNIBDKBG6UUBN7RFLINU/?utm_source=naver&utm_medium=original&utm_campaign=biz).

| 금융감독원 전자공시 자료 |

유가증권시장 163건 (2023년 09월 15일)　시간 ▼　회사명 ▲　보고서명 ▲

시간	공시대상회사	보고서명	제출인	접수일자	비고
17:59	보령	투자판단관련주요경영사항	보령	2023.09.15	유
17:52	쌍방울	기타시장안내 (상장적격성 실질심사 결과 안내)	유가증권시장본...	2023.09.15	유
17:47	케이씨티시	[기재정정]대규모기업집단현황공시[연1회공시및1/4분기용(개별회사)]	케이씨티시	2023.09.15	공
17:38	사조오양	불성실공시법인지정예고	유가증권시장본...	2023.09.15	유
17:36	평화홀딩스	[기재정정]타인에대한채무보증결정(자회사의 주요경영사항)	평화홀딩스	2023.09.15	유
17:36	유니켐	최대주주등소유주식변동신고서	유니켐	2023.09.15	유
17:34	다이나믹디자인	조회공시요구(현저한시황변동)에대한답변(미확정)	다이나믹디자인	2023.09.15	유
17:23	효성화학	타인에대한채무보증결정	효성화학	2023.09.15	유
17:22	SK디스커버리	[기재정정]주요사항보고서(자기주식처분결정)(자회사의 주요경영사항)	SK디스커버리	2023.09.15	유
17:21	일성건설	[기재정정]단일판매・공급계약체결	일성건설	2023.09.15	유
17:18	한신공영	주요사항보고서(영업정지)	한신공영	2023.09.15	
17:18	한신공영	매매거래정지및정지해제(중요내용공시)	유가증권시장본...	2023.09.15	유
17:17	SK디앤디	[기재정정]주요사항보고서(자기주식처분결정)	SK디앤디	2023.09.15	
17:10	삼부토건	[기재정정]단일판매・공급계약체결	삼부토건	2023.09.15	유
17:09	대우건설	[기재정정]타인에대한채무보증결정	대우건설	2023.09.15	유
17:07	대유에이텍	최대주주등소유주식변동신고서	대유에이텍	2023.09.15	유
17:06	동양철관	[기재정정]소송등의제기・신청(일정금액이상의청구)	동양철관	2023.09.15	유
17:05	락앤락	대표이사(대표집행임원)변경(안내공시)	락앤락	2023.09.15	유
17:04	락앤락	임시주주총회결과	락앤락	2023.09.15	유
17:03	CJ CGV	동일인등출자계열회사와의상품・용역거래	CJ CGV	2023.09.15	공
17:02	SK이노베이션	유상증자또는주식관련사채등의청약결과(자율공시)	SK이노베이션	2023.09.15	유
17:02	삼성SDI	최대주주등소유주식변동신고서	삼성SDI	2023.09.15	유
17:00	NH투자증권	투자설명서(일괄신고)	NH투자증권	2023.09.15	
16:59	SK	최대주주등소유주식변동신고서	SK	2023.09.15	유

출처: 금융감독원 전자공지시스템(https://dart.fss.or.kr/dsac001/mainY.do)

덩치가 크고 신용이 좋으며 우량한 기업은 스스로 회사채를 발행해 자금을 유치할 수 있다. 그러나 회사채 발행이 힘들고 규모가 작은 기업은 CB, BW 발행으로 자금을 마련한다. 그리고 자신이 발행한 CB, BW를 사주는 조건으로 투자자에게 유리한 조건을 제시하는데,

CB는 일정 기간이 지나면 주식으로 전환할 수 있는 선택권을 가진 채권이다. 만약 전환하지 않고 만기까지 보유할 경우 마치 채권처럼 약속한 이자와 원금을 받는다. 그리고 전환 후에는 주식을 팔아 수익을 낼 수도 있다. BW는 미리 정해진 가격으로 일정액의 새 주식(신주)을 인수할 권리가 주어지는 채권이다.

CB: 사채로 발행된다. 일정 기간이(보통 1년 후 행사) 지나면 주식으로 전환할 수 있다. 권리를 행사하여 주식으로 전환하면 채권 권리가 사라진다.

BW: 이 채권을 발행한 기업이 신주를 발행할 때 **미리 정한 낮은 가격**에 살 수 있도록 옵션이 붙어 있다.

CB, BW 발행은 긍정적인 면도 분명히 있지만, 시장에 대부분 부정적인 신호를 전달한다(주식 공급 물량이 늘어 주가가 하락한다). 따라서 기업이 CB, BW를 발행하는 진짜 목적, 자금을 조달하는 이유가 무엇인지 파악하는 것이 핵심이다. 기업의 공시 내용에 그런 내용이 모두 담겨 있다.

투자에 앞서 해당 기업의 CB, BW 발행 목적과 전환청구 기간, 발행주식 수, 주당 발행가격 등 정확한 세부 내용을 확인해야 한다. CB, BW를 발행하는 목적에 따라 시장은 다른 반응을 보여주는 데, 기업이 새 상품을 만들기 위해 공장을 확충하거나 짓는 데 자금을 쓸 요량이라면 당연히 호재로 작용할 테고, 기업의 운영자금이나 빚을 갚는 데 돈이 필요한 거라면 악재가 된다. 그러나 기본적으로 CB, BW 발행이 잦은 기업은 아무래도 투자하기가 꺼려지는 것이 사실이다.

2. 개별기업을 살펴보는 필수 지표들

주가는 현재 기업의 가치를 알려주는 일종의 기준이다. 그렇다 해도 현재 주가가 기업의 실제 가치를 모두 포괄해서 보여주는 건 아니다. 때로는 고평가 또 때로는 저평가되었다고들 말한다. 이렇듯 고평가, 저평가라는 평가의 기준, 그러니까 현재 주가가 적절한지 아닌지를 판단하는 데 도움이 되는 널리 알려진 지표들이 있다. 기존의 익숙한 표현으로는 '기본적 분석'에서 사용하는 지표들, 그러니까 우리가 개별기업을 살펴보는 데 필요한 지표들이다. 초보 투자자도 수없이 들어봤을 용어들일 텐데, 필자도 이 설명을 생략할 수 없어 간략히 정리한다.

우리에게 너무나 익숙한 용어들인 PER(주가수익비율), EPS(주당순이익), PBR(주가순자산비율), ROE(자기자본이익률)* 등을 하나씩 살펴보자. 너무 유명해서 많은 주식 도서에도 짤막하게 소개하고 지나가는 내용이다. 누구나 아는 것 같지만 조금씩 헷갈리는 이야기일 수 있다. 가볍게 정리하고 넘어가도록 하자. 이들 지표는 매우 보편적인 평가 도구(Tool)라고 할 수 있다. 벤저민 그레이엄이 처음 시도했다는 '가치투자'를 할 경우에도 이들 지표를 참고하여 투자에 활용한다.

1) 주가수익비율(Price Earning Ratio, PER)

$$\text{주가수익비율(PER)} = \frac{\text{주가}}{\text{주당순이익(EPS)}}$$

주가수익비율인 PER는 현재 시장에서 거래되는 어떤 기업의 주가를 주당순이익(EPS)으로 나눈 값이다. 기업의 주가가 수익과 비교해 몇 배로 거래되는지 알 수 있다. 간혹 기업의 재무제표 자료에서 PER 지표가 빠져 있는 모습을 볼 수 있다. 이는 해당 기업의 영업이익이 적자를 나타내 수익을 내지 못해서 공백으로 두는 것이다. 일반적으로 PER가 높으면 수익 대비 주가가 높다는(고평가) 뜻으로 해석하고 반대의 경우라면 주가가 낮다고(저평가) 분석한다.

---

* 자기자본이익률(ROE)는 다른 지표들보다 활용의 폭이 좀 더 크다는 것도 상식으로 알아두자. ROE는 기업의 내재가치를 판단할 때에 더 유용하게 쓰인다.

가치투자

하이-리스크가 수반되는 주식투자에서 모든 투자자가 기본적으로 추구해야 하는 투자 방법이다. 가치투자란 실적과 현금흐름이 좋음에도 불구하고 주가가 낮다고 평가된 기업에 투자하는 일이다. 가치투자는 상대적으로 원금 손실이 적고 어느 정도 수익도 보장된다. 한마디로 '묻어두고 기다리면 수익이 나는 투자'인 셈이다.

가치투자의 대상은 기본적으로 실적 대비 현재 주가가 낮은 기업들이다. 위기가 찾아와 시장 상황이 주식투자에 호의적이지 않고 변동성이 유난히 큰 경우엔 그나마 가치투자가 마음 편할 수도 있다. 그런데도 2020년 이후 투자자들은 가치투자를 외면하는 듯하고 그다지 인기도 없다. 투자자 대부분이 오랫동안 기다릴 만한 마음의 여유, 자금의 여유가 없기 때문이다. 더군다나 시장에는 오로지 빠르게 수익을 내기 원하는 투자자가 정말 많다.

그렇더라도 투자자들이 존경하는 세계적인 투자 대가 워런 버핏과 그의 스승 격인 벤저민 그레이엄은 가치투자로 상상을 초월하는 엄청난 수익을 만든 인물로 유명하다. 위에서 말했듯 저평가된 기업을 분석하고 모니터링해서 찾은 후 자금을 투자하고 기다리면 수익이 나온다. 물론 자신의 투자 패턴이 단기투자에 익숙하다면, 그래서 수익이 제법 나는 실력자라면 자신이 잘 하는 패턴을 반복하면 그만이다. 이런 분들은 오랜 시간을 레버리지로 활용해 수익을 만드는 가치투자가 어색하고 힘들 수 있다. 자신의 타고난 성격, 투자 패턴을 무시할 수 없는 법이다. 그렇지만 세계적인 투자 대가들이 가치투자로 큰 시세차익을 거둔 사례를 무시할 순 없다. 준비되지 않은 어설픈 단타 실력으로 수익 대신 손실만 보는 투자자라면 투자법을 바꿔보는 것도 좋다. 가치투자를 위해서는 기본적으로 재무제표를 파악하는 눈을 어느 정도는 갖추어야 한다. 현재 주가가 낮게 평가된 가치주를 찾으려면 말이다.

그런데 냉정히 말해 기업의 내재적, 외재적 가치를 속속들이 살피고 모든 재무제표를 들여다본다는 건 현실적으로 어려운 일이다. 이는 전문가의 영역이기도 하다. 가치주를 찾고자 많은 힘을 뺄 필요가 있을까? 매수하고 싶은 기업의 속사정을 모두 알면 투자에 큰 도움이 되는 건 맞지만, 너무 많은 에너지가 소모된다. 대신 몇 가지 내용만 확인해도 매수해도 좋을지 말아야 할지를 쉽게 알 수 있다.

- CB(전환사채) 발행이 빈번한지의 여부
- 주식으로 전환된 물량이 시장에 출회되었는지 확인
- 3~4년 연속 영업손실 발생 여부
- 기업의 가치와 별개로 현재 주가의 고평가 여부

2010~2020년간 나스닥의 평균 PER는 21.98이었고, 동일 기간 S&P5000의 평균 PER는 33.1로 나타났다. 우리나라 삼성전자의 PER는 한때 10이 안 되던 시절이 오랫동안 이어지기도 했다. 이를 두고 당시 사람들은 삼성전자가 저평가되었다고 말했다. 주식시장에 유동성이 얼마나 공급되느냐에 따라 주가수익비율(PER)의 인심이 후해지기도 하고 박해지기도 한다. 따라서 투자자는 종목별, 업종별로 유연한 주가수익비율을 적용하는 것이 좋다.

2) 주당순이익(Earning Per Share, EPS)

$$주당순이익(EPS) = \frac{당기순이익}{발행주식수}$$

EPS는 기업이 벌어들인 당기순이익을 전체 발행한 주식 수로 나눈 값이다. 기업의 규모가 크든 작든 상관없이 1주당 수익을 알려주는 지표이기에 기업과 기업 간의 수익을 비교할 때 도움이 된다. 주당순이익이 높으면 기업이 경영을 잘해서 실적이 좋게 나왔다고 보기 때문에 주가에 긍정적으로 작용한다. 그러나 PART 1에서 소개한 배당 차원에서 고려하면, 주당순이익이 높다고 반드시 배당을 많이 하는 건 아니라는 사실도 알아두면 좋다.

3) 주가순자산비율(Price Book Value Ratio, PBR)

$$\text{주가순자산비율(PBR)} = \frac{\text{현재 주가}}{\text{주당순자산(총자산-총부채)}}$$

현재 주가를 주당순자산가치(총자산-총부채)*로 나눈 값이다. 만약 H라는 기업의 주가가 1,000원, 부채를 포함하여 이런저런 돈을 제한 후의 주당순자산가치가 500원이라고 가정하자.

위 공식에 대입해 1,000/500을 계산하면 주가순자산비율은 2가 나온다. 흔히 PBR 값이 1보다 낮으면 저평가되었다는 의미로 평가하고 1보다 높으면 고평가되었다고 본다.

---

* 주당순자산가치(Book Value Per Share, BPS)는 기업의 총자산에서 부채를 제외한 순자산을 발행주식 수로 나눈 비율이다. 극단적인 예를 하나 들어본다. 만약 장사가 안되어 영업을 접게 된 K기업이 자산을 나누어 청산할 때 1주당 배분할 수 있는 금액이 주당순자산가치다. BPS 비율이 높은 기업일수록 재무건전성 역시 좋다고 본다. 그런데 BPS 자료 하나만으로는 기업의 주가가 높은지 낮은지를 평가하기가 모호하다. 따라서 BPS 지표를 구한 후 주가를 BPS로 나누어 주당순자산비율(PBR)을 산출함으로써 현재 주가가 고평가인지 저평가인지 여부를 판단한다.

4) 자기자본이익률(Return On Equity, ROE)

$$\text{자기자본이익률(ROE)} = \frac{\text{당기순이익}}{\text{자기자본}} \times 100$$

ROE는 기업이 주주의 자본으로 수익을 얼마나 냈는지를 알려주는 지표다. 기업의 재무제표 자료에서 ROE가 높게 나왔다면 시장은 긍정적으로 평가한다. ROE 계산은 당기순이익을 자기자본으로 나눈 후 100을 곱해 구한다. 여기서 당기순이익이란 세후 최종 수익이다. 예컨대 Y라는 기업이 자기자본 5,000만 원을 투자해 ROE가 20%가 되었다면, 5,000만 원으로 1,000만 원의 수익을 냈다는 뜻이다. 따라서 ROE가 높을수록 자본을 잘 굴려 많은 수익을 냈다고 평가한다.

그런데 ROE를 참고할 땐 주의할 점이 있다. ROE 공식에서 분자인 당기순이익 정보를 다 믿을 수 없다. 자기자본으로 번 영업이익 외에도 손익이 포함되거나 부동산 임대료처럼 일회성 수익도 여기에 들어갈 수 있다. 따라서 ROE 숫자가 높게 나왔더라도 순수 영업이익에다가 다른 내용이 포함되어 수치가 높아졌는지 잘 따져봐야 한다. 그리고 ROE의 분모인 자기자본이 낮아져도 ROE 비율은 높게 나타난다. 보다 적은 자금으로 수익을 냈다는 의미니까 그렇다. 결론은 ROE가 높더라도 그 숫자에 포함된 진실을 파악해야 한다는 것. 그렇지만 이론적으로는 ROE가 높아야 시장이 해당 기업을 긍정적으로 바라본다.

지금까지 말한 PER(주가수익비율), EPS(주당순이익), PBR(주가순자산비율), ROE(자기자본이익률)을 더 쉽게 정리하면 아래와 같다. PER과 PBR 지표는 낮을수록 좋고, EPS와 ROE는 수치는 높을수록 긍정적이다.

낮을수록 긍정적

PER

$$\frac{\text{주가}}{\text{주당순이익}}$$

PBR

$$\frac{\text{주가}}{\text{주당순자산}}$$

높을수록 긍정적

EPS

$$\frac{\text{당기순이익}}{\text{주식수}}$$

ROE

$$\frac{\text{당기순이익}}{\text{평균자기자본}} \times 100$$

5) 배당수익률(Dividend Yield Ratio, DYR)

투자자가 기업에 투자해서 매년 배당으로 받는 수익을 배당수익이라고 부른다. 쉽게 생각하면 1주당 받을 수 있는 배당액 비율이다. 기업이 지급하는 배당금을 현재 주가로 나누어 값을 구한다. 배당

투자를 중요하게 생각하는 투자자라면 당연히 배당수익이 높은 기업에 투자할 것이다. 이 경우 은행에서 제공하는 정기예금 이자보다 훨씬 높은 배당수익을 기대할 수 있다.

지금까지 개별기업을 살펴보는 데 필수적인 지표(기본적 분석)들을 정리했다. 주식투자는 알고 행하는 것과 모르고 행하는 일의 결과가 하늘과 땅 차이를 불러온다. 알고 수익을 내면 실력, 몰랐는데도 수익이 났다면 운이 좋았을 뿐이다. 소중하지 않은 돈은 세상에 한 푼도 없다. 금액이 많든 적든 돈은 값지고 귀하다. 일반 투자자 대부분은 오랫동안 알뜰히 모아 투자금을 마련했을 것이다. 그토록 소중한 돈으로 투자를 하면서 운에만 맡길 수는 없다. 관심이 가는 기업의 재무제표 정도는 들여다보고, 주가를 가늠하는 안목과 나름의 기준을 갖추도록 해야 한다. 처음에는 익숙하지 않아 눈에 안 들어와도 자꾸 들여다보면 충분히 극복할 수 있는 낯섦이다. 어렵고 헷갈린다고 외면하면 수익 만드는 일만 점점 뒤로 늦추어질 뿐이다.

설명을 생략했지만, 기본적 재무 숫자들 사이의 상대적인 비율(매출증가율, 영업이익률, 유동비율, 부채비율, 자본잠식률 등)도 유심히 살펴 분석하면 한결 더 세밀한 기업가치 평가를 내릴 수 있다. 분석하고 살펴보는 일은 남이 대신 해줄 수 없다. 스스로 하나씩 헤쳐나가야 할 숙제다. 참고로, 기본적 분석의 경우 가치투자를 추구하는 가치투자자에게는 매우 중요한 내용이다. 하지만 일반 투자자에게는 재무학적인 용어가 많아 현실적으로 어렵다고 느끼는 분들이 많을 것이라고 생각한다.

Chapter 3

차트 살펴보기 (기술적 분석)

개별기업 살펴보기(기본적 분석)를 통해 매수하고 싶은 기업의 분석이 끝났다면 또 무엇을 준비해야 할까? 분명 더 필요한 것이 있다. 바로 차트다. 누군가는 주식이 타이밍 싸움이라고 말한다. 어느 가격에 매수하고 어느 가격에 매도할지 판단해야 한다. 차트 살펴보기(기술적 분석)는 매수·매도 타이밍을 잡기 위한 준비 과정이다. 그런데 타이밍 잡기란 정말 쉽지 않다. 이를 어느 정도 보완하는 일이 차트 살펴보기, 즉 기술적 분석이다. '개별기업 살펴보기'와 함께 '차트 살펴보기' 역시 주식 투자에서 기본인 내용이다.

1. 차트의 기본(저항선, 지지선, 추세선, 돌파)

차트는 투자자가 주가 흐름을 눈으로 확인하는 과거의 기록이다. 비록 과거 흐름이지만 주가가 앞으로 어떤 방향으로 전개될지(상승할지, 하락할지) 방향성을 예측하는 데 도움이 된다(당연히 주가가 예상처럼 진행되는 건 아니다). 차트 분석은 '시장에서 생존하기 위한 방패'라고 불러도 과하지 않다. 또 차트에는 시장에 참여한 투자자의 매수와 매도 심리가 모두 그려진다. 지수(코스피, 코스닥) 차트는 당시의 시장 상황을 말하고, 개별기업의 차트는 해당 기업의 히스토리(역사)를 알려준다.

모든 차트에는 공통적으로 '저항선', '지지선', '추세선' 그리고 '돌파'가 있다. 이를 알아야 전체적인 주가 흐름을 파악할 수 있다. 그러고 나서 '이동평균선', '골드크로스', '데드크로스'를 파악해 주식을 매매하는 것이다. 기업의 주가가 그간 어떻게 흘러왔는지 살펴보면 저항, 지지, 추세 등이 대략 눈에 들어온다.

| 저항, 지지, 추세, 돌파 |

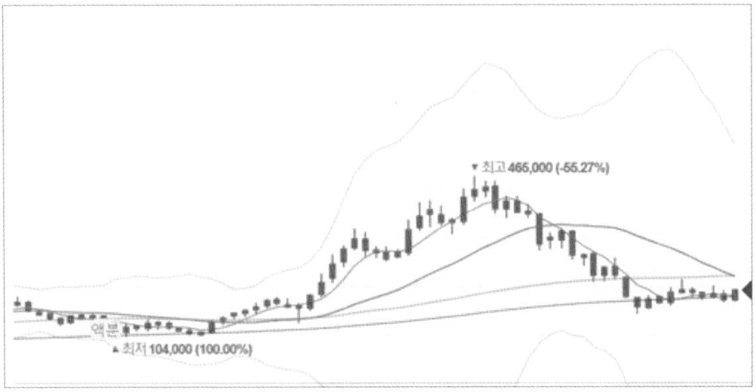

1) 저항선(抵抗線)

저항은 위로 더 올라가려는 주가를 막아선 채 버티는 흐름이다. 캔들의 고점을 선으로 주욱 이었을 때, 더 위로 올라가지 못하고 길게 일직선의 모습을 보여준다. 그러다가 저항을 뚫으면 일반적으로 주가가 크게 오르는 상황이 만들어지곤 한다.

2) 지지선(支持線)

지지는 저항과 반대로 주가가 더 내려가지 않고 버티는 흐름이다. 캔들의 저점을 선으로 주욱 그었을 때, 더 아래로 내려가지 않고 길게 일직선의 모습을 보여준다. 그러다가 지지선이 무너지면 일반적으로 주가가 크게 하락하는 상황이 만들어지곤 한다.

3) 추세선(趨勢線)

추세란 '주가가 일정한 방향으로 나아가는 경향을 말한다. 즉 '추세선'은 주가의 방향을 알려주며 주가가 상승하는 우상향 추세선과 반대로 주가가 하락하는 우하향 추세선으로 구분한다. 추세선은 주가가 하락하다가 상승하는 변곡점의 여러 개 저점을(지지선) 이은 선, 또 주가가 상승하다가 하락하는 여러 개의 고점을(저항선) 이은 선으로 나타낸다.

4) 돌파(突破)

주식투자자라면 누구나 고대하며 기다리는 일이 돌파다. 말 그대로 횡보하거나 지지부진했던 주가가 큰 힘을 얻어 저항선을 뚫고 오르는 모습이다(대체로 골든크로스 발생). 견실하고 우량한 기업의 차트, 긴 흐름으로 지나온 주가를 살펴보면 대부분 우상향한 모습이다. 이 사실을 참고하여 차트를 보면, 저항을 뚫고 돌파가 나타나 주가가 오를 때 길게 일직선으로 돌파를 막아섰던 저항선이 그때부터 지지선으로 바뀐다. 시장이 우호적이고 실적이 좋아지면 대체로 주식 차트는 시간이 흐를수록 계단 모양처럼 우상향하는데, 조금씩 성장하는 기업의 모습을 고스란히 보여준다고 하겠다.

시중에는 차트만 따로 그려 설명하는 책들이 셀 수 없을 만큼 많다. 나름 모두 의미 있고 유용한 자료다. 그러나 필자 생각에는 방금 설명한 기초 정도만 알고, 아래에서 소개하는 내용만 숙지해 활용하면 수익을 내는 데 큰 지장이 없다고 본다. 한 가지 분명한 사실은 개별기업 주가의 과거 흐름인 개별기업 차트를 분석하면, 그 당시 해당 기업에 투자한 투자자의 생각과 심리도 어느 정도 파악할 수 있다.

2. 이동평균선

이동평균선은 주식투자자가 실전에서 가장 중요하게 생각하는 기본 차트다. 이동평균선은 매일 산정되는 주식의 종가를 기준으로 이동평균치를 차트에 표시한 연장선이다. 그러니까 일정 기간 주가의 평균가격을 그어놓은 선이다. 코스피, 코스닥지수의 흐름을 알려주는 지수 이동평균선이 있고 개별종목 이동평균선이 있다. 이동평균선 역시 주가가 흘러온 과거의 흔적이다. 그러나 이동평균선을 참고하면 주가의 평균치 진행 방향을 확인하고 대략적으로나마 상승과 하락을 예측하고 판단하는 데 유용하다. 5일선, 10일선, 20일선, 60일선, 120일선 등의 이동평균선을 확인하면 주가의 전체 흐름이 보이고 미래의 주가 또한 대략 예상할 수 있다.

1) 이동평균선에 나타난 정배열

이동평균선에 나타난 정배열이란, 주가 흐름이 5일선, 10일선, 20일선, 60일선, 120일선으로 배열된 모습이다. 정배열은 주가가 크게 상승하는 장에서 쉽게 볼 수 있다. 정배열이 나타난 이후에는 주가가 꾸준히 상승할 가능성이 크다.

| 정배열(상승 추세) |

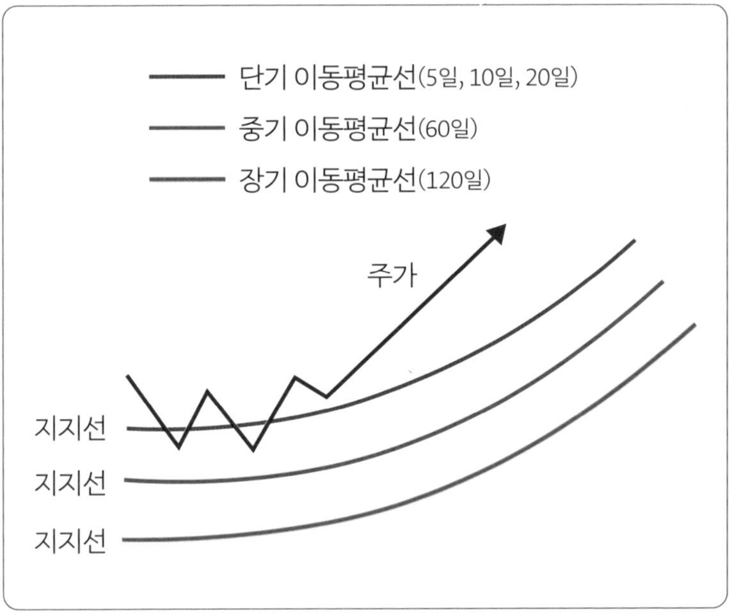

2) 이동평균선에 나타난 역배열

정배열과 반대로 배열된 모습이다. 위로부터 120일선, 60일선, 20일선, 10일선, 5일선 순이다. 이동평균선의 역배열은 주가가 하락하는 추세임을 알려준다. 이동평균선 차트가 역배열일 땐 신규 매수를 절대 금해야 한다. 또 보유 중인 주식의 매도를 고민해야 한다. 시장 상황이 여의치 않아 하락하는 분위기에서는 역배열을 그리는 종목들이 늘어날 수밖에 없다.

| 역배열(하락추세) |

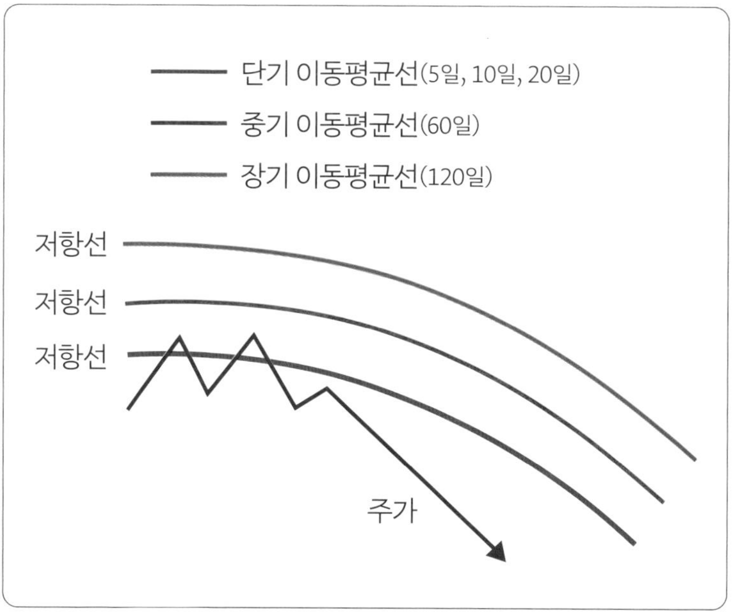

이동평균선의 정배열과 역배열을 간략하게 다시 정리하며 다음

과 같다.

| 정배열 vs. 역배열 |

정배열

- 단기, 중기, 장기 이평선 순으로 정배열 모습이다.
- 주식을 신규 적극 매수하는 시기다.

역배열

- 장기, 중기, 단기 이평선 순으로 역배열 모습이다.
- 보유 주식을 매도하는 시기, 절대로 신규 매수를 하면 안 된다.

3. 대 시세의 출발 골든 크로스(Golden Cross), 폭락의 전조 데드크로스(Dead Cross)

단기 이동평균선(5일선, 10일선)이 중장기 이동평균선을(60일선, 120일선) 뚫고 위로 돌파하여 올라가는 현상이 골든크로스다. 특히 시장지수(코스피, 코스닥지수) 골든크로스 출현은 강세장으로의 전환을 의미한다. 큰 시세차익(대 시세)을 내는 거의 모든 종목의 처음 시작은 골든크로스 이후 상승을 거듭한 결과다. 만약 투자자가 지수 하락이 멈추고 상승으로 전환한 후 골든크로스가 발생한 시대 중심주를 초기에 매수했다면, 큰 수익을 기대해볼 만하다.

| 골든크로스 & 데드크로스 |

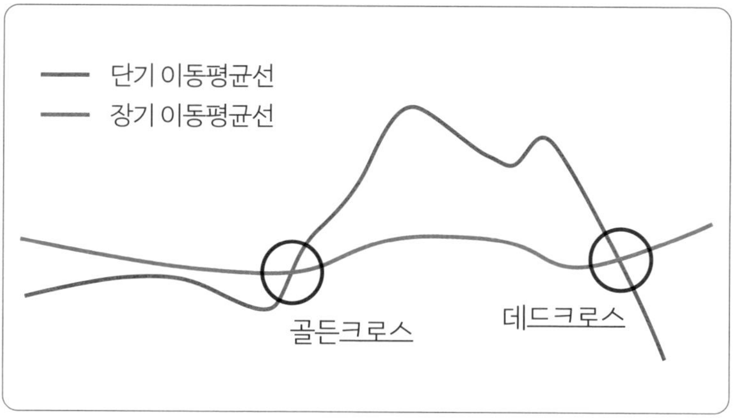

이동평균선 차트에서 골든크로스가 발생한 이후 시간이 조금 지나면 대체로 차트가 정배열로 우상향하는 모습을 볼 수 있다.

시장지수가 크게 상승한 이후 또는 개별종목이 뚜렷한 상승세를 보인 이후 매수세가 추가로 유입되지 않거나 시장 상황이 하락세로 돌아서면 당연히 주가도 떨어진다. 이동평균선에서 단기 이동평균선(5일선, 10일선)이 중장기 이동평균선(60일선, 120일선)을 아래로 뚫고 내려가는 현상이 나타나면 데드크로스라고 본다. 여러분도 잘 알고 계시겠지만 데드크로스는 주가가 약세로 전환했다는 강력한 신호다.

시장지수(코스피, 코스닥지수) 일봉 차트가 데드크로스를 나타내면 즉시 보유한 주식을 매도하거나 서둘러 매도 준비에 들어가야 한다. 데드크로스가 발생하고 시간이 지나면 차트가 역배열을 만들면서 본격적인 하락세를 보여주는 경우가 대부분이다. 만약 초기에 매도하지 못하면 큰 손실로 이어져 자금을 회복하는 데 어려움을 겪기도 한다. 마음고생은 당연지사고 시간 레버리지마저 잃고 만다.

4. 기술적 분석의 한계

급등락이 없는 완만한 상승장이거나 박스권(횡보장)에서는 차트를 이용한 매매가 유용하다. 이동평균선(차트)을 이용한 주식투자는 수십 년 동안 주식투자를 해온 투자자들 간 무언의 약속이기도 하다. 그러나 돌발적인 악재가 발생하거나 강력한 급락 또는 급등하는 시장 상황에서는 차트가 큰 도움이 안 되기도 한다.

특히 개별종목 일봉 차트에서 데드크로스가 발생하면 각별한 주의가 필요하다. 차트상으로는 분명 골든크로스, 데드크로스가 출연해 매수나 매도를 했는데, 골든크로스 이후 곧바로 데드크로스로 전환하거나 반대로 데드크로스 이후 빠르게 골든크로스로 급변하는 일들이 종종 있다. 이런 경우는 대부분 시총이 작은 개별기업에서 나타나곤 한다. 몇몇 세력이 자신의 투자금으로 차트를 왜곡하는 일이라고 본다. 그래서 필자는 되도록 시총 규모가 어느 정도 되고, 우량한 기업에 투자해야 세력의 속임수에서 벗어날 수 있다고 생각한다. 물론 투자 경험이 축적되어야 알고 느낄 수 있는 이야기다. 이동평균선은 개별기업이나 시장이 보여준 과거의 흔적이자 스토리(story)다. 그렇기에 항상 예외 없이 적용할 수 있는 자료가 아니라는 사실을 반드시 기억해야 한다. 다만, 어디로 튈지 모르는 주가를 과거의 경험에 비추어 조심스럽게 예상하는 데에는 여러모로 도움이 된다. 이동평균선을 활용하더라도 시장 상황에 맞는 대응을 해야 한다. 이와 관련한 더 상세한 내용은 본격적인 매수와 매도 이야기에서 자세히 다룰 생각이다. '차트 살펴보기(기술적 분석)'는 이 정도로 마무리한다.

PART 2에서 소개한 세 가지 이야기(시장 살펴보기, 개별기업 살펴보기, 차트 살펴보기)는 주식투자에 앞서 익혀야 할 기본 내용이다. 이 정도만 알아도 주변의 누군가가 추천하는 종목에 매달리지 않고 스스로 종목을 판단, 분석해서 매매할 수 있다. 집필 의도에 맞게 군더더기 없이 간략하게 핵심만 정리하다 보니 아쉬운 부분도 있다. 그러나 이 정도 서술이 알맞다고 생각한다. 사실 시장에는 이조차 모르는 투자자가 꽤 많아 안타깝다. 세 가지 기본만 알아도 주식투자로 수익을 내는 데 큰 도움이 된다. 내용이 어렵고 복잡하다면 반복해서 읽고 숙지하기 바란다.

여기까지가 주식투자의 기본 이야기였다. 많은 분이 궁금해하실 매매법 이야기는 이제부터 하나씩 풀어갈 생각이다.

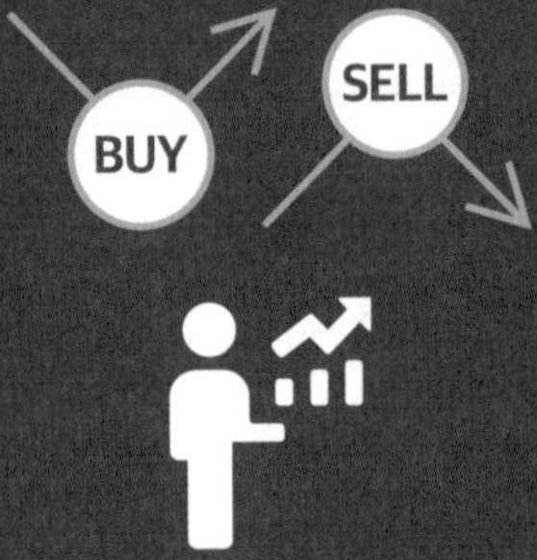
BUY
SELL

A PROFITABLE

PART 3

중장기투자 저점매수, 고점매도 방법

STOCK INVESTMENT

Intro

중장기투자로 부자 되기

PART 3부터 본격적으로 매매법에 대해 하나씩 소개한다. 먼저 시간과의 싸움이라고 부르는 중장기투자 이야기다. 사실 많은 투자자가 중장기투자를 하고싶어 한다. 중장기투자에는 매수 종목이 대략 정해져 있다. 시가총액이 작은 기업보다는 견실한 중대형주를 중심으로 매수 타깃을 좁혀야 한다. 그리고 중장기투자 초기 매수 시에는 차트를 활용하여 골든크로스가 나타난 종목을 눈여겨봐야 한다. 또 하나의 조건이 시장 중심주여야 한다. 중장기투자는 시대정신과 맞물려 있다는 사실도 잊어선 안 된다.

중장기투자 종목 선택의 조건

'시총이 큰 중대형주 중 견실한 재무구조를 가진 기업 선별!'

'기술적으로 골든크로스 발생!'

'시장 중심주 중에서 선택!'

큰 원칙은 위와 같다. 그런데 더 자세히 내용을 들여다보면 다음과 같이 세분화할 수 있다. 중장기투자를 할 때 주식 매수법, 매수 시점 판단하기, 투자 종목 선정, 저가 매수를 놓쳤을 때 추격매수 방법, 중장기투자 시 주식 매도, 수익을 극대화하는 매도 등의 내용이다. 물론 예상을 벗어나 빠르게 하락하는 장에서 어떻게 대처해야 좋을지도 빼놓을 수 없다.

Chapter 1

주식시장의 상황별 구분

세상은 자고 일어나면 어수선하고 혼란스러운 뉴스로 가득 차 있다. 하루도 조용한 날이 없다. 따라서 장이 안 열리는 휴일을 제외하곤 주식시장은 항상 넘쳐나는 이슈와 정보로 큰 변동성을 보이며 요동치는 날이 대부분이다. 그 결과 주식시장은 하락장(급락장), 하락 후 반등장, 횡보장(박스권), 상승장, 상승 후 하락장 등의 모습을 보여준다. 투자자는 시장 상황을 유심히 살피면서 신규로 주식을 매수하거나, 수익을 실현하거나 상황이 여의치 않다면 보유한 주식을 매도하기도 한다. 따라서 현재 또는 가까운 미래에 시장이 어떤 모습을 보여줄지 예측하고 그에 알맞은 전략을 세워 대응해야 한다. 수익을 내고 자산도 키우려면 현재 돌아가는 시장 파악이 우선이다. 그럼 본격적으로 하락장(급락장), 반등장, 횡보장(박스권), 상승장의 특징을 하나씩 살펴보도록 한다.

1. 하락장(급락장)

'주식시장은 세상의 축소판이다!'

주식시장을 표현하는 여러 가지 말 중에서도 '세상의 축소판'이라는 표현이 안성맞춤인 것 같다. 단순히 플러스, 마이너스 숫자와 그래프로 시장이 그려지지만, 그 안에 복잡한 세상 모습이 모두 포함된다. 주식시장을 보면 우리가 사는 세상이 어떤 유행을 따라 어떻게 돌아가는지 알 수 있다. 세상 돌아가는 모습을 알기 원한다면 주식시장을 살펴보면 된다. 현실 세상과 이를 축소한 주식시장은 서로 밀접한 상호관계가 있다. 모든 투자자가 어려워하는 하락장부터 살펴보자.

시장지수(코스피, 코스닥지수)**가 상승세에 있다가 고점에서 10% 이상 하락할 때** 흔히 하락 전환했다고 말한다. 그리고 하락 추세 흐름이 1~2개월 지속한다면 하락장이라고 평가한다. 예를 들어 시장지수가 2000포인트를 유지하다가 마이너스 10%(200포인트) 하락 전환해 1800포인트로 내려갔다고 해보자. 이 흐름이 1~2개월 이어진다면 하락장이라고 불러도 이상할 게 없다. 시장지수가 하락했다면 지수 영향력이 높은 시가총액 상위종목 역시 하락한다. 상위종목마다 조금씩 하락률의 차이가 날 수는 있지만, 대체로 대부분의 대형주가 하락했다고 보면 된다.

사건과 사고가 끊이지 않는 세상이다 보니 때때로 외부에서 발생한 돌발 악재가 시장에 충격을 제공해 주가가 크게 내려가기도 한다. 이럴 땐 그 악재가 해소된 후 주가가 다시 회복하는 모습을 보여준다. 이런 시장은 하락장이나 급락장에 포함하지 않는다. 가령, 북한이 핵실험을 한다는 돌발 이슈가 발생하면 당일 코스피지수는 급락했다가 2~3일 만에 회복하는 모습이 대표적이다. 북한 핵실험 이슈는 반복해서 벌어지는 일이기도 하다. 한편 하락장(급락장) 기간은 당시의 시장 상황에 따라 생각보다 길어지거나 짧아지는 등 천차만별이다. 일반적으로 하락장이 지속되는 기간은 6개월~2년 정도 보면 될 것 같다.

대표적인 하락장(급락장) 사례를 함께 살펴보자. 1997년 외환위기 당시 우리나라 주식시장은 3개월 급락, 6개월 횡보 하락장이었다. 그리고 2008년 미국 금융위기 때에는 4개월 급락장 이후 반등하기 시작해 시장이 회복하기까지 2년 정도 걸렸다. 2021년 코로나 대유행 이후의 금리 인상에 따른 하락장은 2021년 6월 코스피지수 상승장 3300포인트에서 2022년 12월 말까지 1년 6개월 동안 이어졌다(2022년 10월 말에는 코스피지수 최저점 2150포인트를 찍기도 했다). 하락장은 기술적으로 볼 때 시장지수(코스피, 코스닥지수)의 데드크로스(Dead Cross)가 나타난다. **초기 하락장에 지수 데드크로스가 발생한다면 보유 주식을 모두 매도하는 것이 맞다.**

지수가 떨어지고 시총이 큰 여러 대형주가 떨어지는 상황에서 운 좋게 내가 보유한 종목이 잘 버틴다고 절대 안심해서는 안 된다. 하락이 오랫동안 이어지는 기간에는 종목 대부분이 급락하는 급락장세가 만들어진다. '지수(시장)를 이기는 종목은 없다!' 물론 단기적으로 지수보다 훨씬 상승하거나 하락하는 종목이 늘 있게 마련이지만, 결국 종목은 지수에 수렴하여 움직인다. 지수보다 크게 오르는 상태가 절대로 오랫동안 유지될 수 없다. 어떤 투자자는 지수가 웬만큼, 많이 떨어졌다고 판단해 섣불리 신규 매수에 나서기도 한다. 절대로 그래서는 안 된다. 장기 하락기에는 바닥을 알

수 없고 예측 역시 불가능하다. 바닥은 누구도 모른다. '바닥 아래 지하실이 있게 마련이다!'

분명히 바닥이라고 판단했는데, 예상치 못한 시장 상황 악화로 주가가 더 곤두박질치면 초기 하락기의 손실보다 더 큰 손실을 감당해야 한다. 이런 상황에 몰린 투자자는 자포자기하고 복구하려는 의지조차 상실하기가 쉽다. '될 대로 돼라!' 하고 포기하고 만다. 섣불리 바닥이라고 단정 짓고 신규 매수에 나서는 건 정말 위험한 투자다. 이는 2021~2022년간 이어진 하락기에 많이 나타난 현상이기도 하다.

하락장의 원인은 여러 가지다. 주로 경기 침체가 찾아오면 기업

| 금리 인하(주가↑)와 금리 인상(주가↓) 시의 주가 |

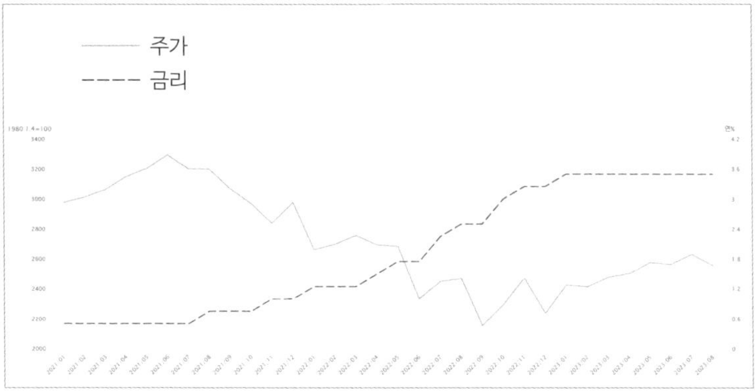

출처: 한국은행 경제통계시스템(https://ecos.bok.or.kr/#/Short/36680a)

의 실적이 악화되기 때문에 기업 실적의 성적표인 주가가 하락하는 일이 당연하다고 보면 된다. 주가 하락은 대부분 경기 침체가 주요 원인이다. 그리고 정치적 위기(전쟁, 폭동, 대북 리스크)나 자연재해(태풍, 지진, 전염병 등)도 하락장을 만들어낸다.

'PART 2'에서 소개한 금리 인상도 시장에 부정적인 영향을 주고 하락장을 이끈다. 금리 인상은 물가상승(인플레이션)을 잡고 유동성을 축소하는 정책이기에 주식시장에 미치는 영향이 매우 크다. 금리가 오르면 소비가 줄고 이는 경제 침체로 이어진다. 그리고 대중이 물건을 소비하지 않음으로써 기업의 실적이 떨어지는데 이는 주가 하락의 원인이 된다.

| 금리 인상과 주가 하락의 릴레이 |

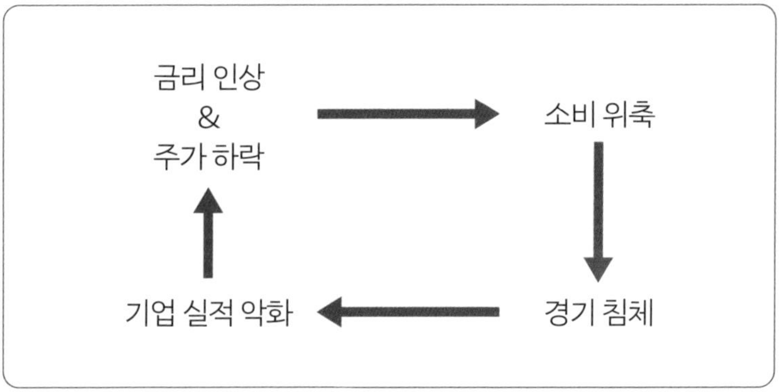

2. 바닥 확인 후 반등장

세상에 영원한 건 없다. 아무리 나쁜 상황도 반전은 꼭 찾아온다. 끝이 안 보이는 긴 터널도 출구가 있다. 도무지 끝나지 않을 것 같았던 하락도 '진바닥'을 다진 후에는 다시 반등한다. 악재가 끊임없이 보도되고 주가가 계속 하락하면서 반대매매가 나오는 등 최악의 상황이 오면, 필자는 경험상 바닥이 멀지 않았음을 느낀다. 주식시장은 투기적인 요인이 많다. 따라서 상승장에서는 오버슈팅(Overshooting), 반대로 하락장(급락장)에서는 언더슈팅(Undershooting)이 나타나기도 한다.

시장이 전체적으로 기업가치에 비교해 지수가 과도하게 하락하고 불투명한 악재들이 노출되어 현실화되면 시장은 하락을 멈추고 반등을 시도(되반등)하며 순식간에 반등장으로 변한다. **하락 시기가 길었다면 필자 경험상 대체로 'V자 반등'이 아닌 바닥 다지기를 한 후에 일정 기간 반등과 하락을 반복하는 횡보장**(박스권) **장세에 놓이는 경우가 많다.** 우리나라 코스피, 코스닥 시장은 특히 미국 주식시장과 연동성이 크다. 따라서 나스닥과 S&P500지수의 바닥 확인과 흐름을 같이한다고 볼 수 있다. 코스피, 코스닥 시장의 대장주 '삼성전자, 현대차, 기아, LG화학' 등이 바닥을 찍고 상승으로 돌아서는 모습으로 반등장이 왔음을 판단하기도 한다.

본격적으로 하락하기 전의 시장과 하락을 멈추고 반등하는 시장의 상황은 너무나 다를 때가 많다. 따라서 반등장에서의 시장중심주도 확연히 달라질 수 있다. 주가가 내려갈 땐 모든 주식이 함께 떨어지지만, 반등장에서는 제한된 특정 섹터에서 특정 종목만 상승하는 일이 흔하다.

| 2023년 1~9월 코스피지수 |

2021~2023년 9월까지 코스피지수가 대표적인 사례다. 코스피지수는 2021~2022년 하락기를 거치고 진바닥 이후 지수가 조금씩 상승하는 모습이다. 참고로 코스피지수 최저점(진바닥)은 2022년 9월 2134.77포인트였다. 이후 꾸준히 올라 2023년 9월 20일에는 2550포인트 대에 와 있다. 시장지수 차트를 살펴보면 바닥 이후 정배열로 전환했음을 알 수 있다.

그러나 이 시기에는 삼성전자, SK하이닉스 등 반도체와 에코프로를 필두로 한 2차전지 업종에서만 상승이 이루어졌다. 그 밖에 소외된 종목이나 업종은 지수 상승률을 따라잡기는커녕 오히려 더 하락하는 종목이 속출했다. 따라서 만약 하락장 시기에 매도하지 못해 주식을 보유하고 있었다면, 그리고 보유 종목이 현재 시장 중심주가 아니라면, 보유한 종목이 반등하기까지 오랜 시간을 기다려야 한다. 이런 기다림은 투자자를 힘들게 만든다. 다른 주식이 상승하는 모습을 지켜보며 상대적 박탈감을 느껴야 하고, 그로 인한 속 쓰린 결과도 참아야 하는 투자자의 상황은 매우 안타깝다. 주변에 이런 분들이 정말 많다.

바닥 확인 후 지수가 반등하는 분위기에서는 시장에서 가장 뜨거운 종목에 투자해야 한다. 그래야 하락기에 경험했던 마음 아픈 투자 손실을 만회하고 수익을 낼 수 있다. 또 강조하건대 반등장에서는 시장의 주목도가 높은 시장 중심주에 투자하는 전략으로 접근해야 한다.

3. 횡보장(박스권)

주식시장은 대세 하락기가 있고, 반대로 대세 상승기도 있다. 이 두 가지 상황을 제외한 나머지 시장 대부분은 횡보장(박스권)이라고 볼 수 있다. 시장지수(코스닥, 코스피)가 전 고점을 넘어서지 못하고 전 저점을 바닥으로 지지하며 일정 범위에서 꾸준히 오르내림을 반복하는 상황이 횡보장(박스권)이다. 시장 여건이 삼성전자처럼 대형주가 계속 상승하기에는 부담스럽고, 그렇다고 고점 대비 충분히 하락한 후 추가로 하락하지 않는 횡보장(박스권) 상황이 주식시장에서는 흔한 일이다.

횡보장(박스권)에서는 일반적으로 대형주에 투자하더라도 큰 수익을 기대하기가 어렵다. 이런 분위기에서는 스몰캡, 개별주에서 급등락하는 종목이 많이 출현한다. 또한, 이슈나 테마주가 극성을 부리는 시기도 **횡보장(박스권) 상황에서 더욱 빈번하다. 따라서 횡보장(박스권)에서는 철저하게 개별적 이슈가 있는 종목 위주로 공부하여 매매해야 수익을 낼 수 있다. 왜냐하면 시장이 지지부진한 상황인지라 긍정적인 이슈가 있는 개별종목으로 투자자의 자금이 쏠리기 때문이다.** 횡보장(박스권) 시기에서는 사람들이 새로운 투자처를 목말라 기다리며 눈에 불을 켜고 시장을 지켜본다. 그래서 어떤 기업에 호재, 긍정적인 소식이 들리면 그 어느 때보다 사람들 눈에 잘 띄고 쏠림 현상이 심화되곤 한다. 그런데 어떤 기업의 호재가 단발성이 아닌 지속 가능한 이슈라고 보인다면 '정보의 지연반응 효과'* 이론대로 추가 매수세가 유입되면서 결과적으로 오버슈팅하는 일이 매우 많다.

2023년 박스권 시장 상황에서는 '챗GPT', '초전도체', 'AI로봇', '양자역학', '사우디 네옴시티', '우크라이나 재건', '5G 통신' 관련주의 급등락이 심하게 나타났다. 좀 긴 시간 동안 시장 중심주 역할을 한 테마도 있고, 짧은 시간 시장에서 투자자의 관심을 받은 테마주들도 있었다. 어떤 테마주의 해당 주식일지라도 많이 상승한 가격에서 매수하면 큰 손실로 이어진다.

횡보장(박스권)에서는 빠른 대응과 판단이 필요하다. 단기투자에 능한 선수급 투자자라면 상승장보다 횡보장(박스권)에서 더 많은 수익을 내기도 한다

---

* PART 5 부자가 되는 주식투자 상식 ⑬ 〈계속 강조해도 지나침 없는 '정보의 지연반응 효과'〉를 참고하기 바란다.

4. 상승장

상승장은 시장지수(코스피 코스닥지수)가 계속 오르는 장이다. 지수가 전 고점을 넘어 신고가를 기록하며 상승하면 대세 상승기, 많이 하락했다가 반등을 이루어 단기 박스권을 넘어 상승하면 회복 상승기라고 판단한다. 경제 여건이 개선되어 기업의 실적이 좋아지거나 유동성이 시장에 끊임없이 공급되면 주가가 우상향한다. 기술적 지표로 보면 지수 골든크로스(Golden Cross)가 발생하고, 대형주 상승세가 연속성을 나타낸다. 대형주가 상승함으로써 초보 투자자도 상승 초기에 투자했다면 어렵지 않게 수익을 낼 수 있는 장이 바로 상승장이다.

대세 상승장도 존재한다. 하지만 35년간 주식투자를 해온 필자도 사실 진정한 대세 상승장을 몇 번 겪어보지 못했다. 2000년 이후로만 따져보더라도 2007년 코스피지수가 처음 2000포인트를 넘어선 시기, 그리고 2020년 코로나 대유행으로 유동성이 넘쳐 2021년 6월 코스피지수가 3300포인트까지 오른 두 차례가 대세 상승장의 전부다. 참고로 2008년 미국 리먼사태 당시 코스피지수가 2000포인트대에서 900포인트까지 급락했다가 2009년 하반기 무렵 1700포인트까지 반등세를 보여주기도 했는데, 이런 시기를 상승장이라고 언급하지는 않는다. 이 경우는 폭락 이후 반등 시기라고 말한다. 시장의 일반적인 흐름은 주가가 올랐다 내리기를 반복하며 조금씩 우상향하는 모습인데, 진정한 대세 상승장은 위에서 말한 두 번이(2007년, 2020년) 전부였다. 이처럼 대세 상승장은 투자자 관점에서 큰돈을 벌기 쉬운 시장인 것이 분명하다. 필자 역시 평생 전업으로 주식을 해온 투자자로, 진정한 대세 상승장이 자주 찾아오기를 진심으로 고대한다.

이제부터 중장기투자에서의 매매법을 소개할 생각이다. 필자의 수익 경험과 시장 대응법을 정리했다. 물론 쉽지 않은 내용을 글로 풀어서 쉽게 설명하자니 아쉬움과 한계가 느껴지지만, 나름 최선을 다했다. 필자의 이야기에 계속 집중해서 좋은 투자 결과를 누리시기를 바라마지 않는다.

Chapter 2

중장기투자 시 주식 매수

중장기투자는 전업투자자를 포함하여 거의 모든 투자자가 선호하는 주식투자 방법이라고 보면 된다. 중장기투자의 기준, 엄밀히 말해 주식을 보유하는 기간의 기준은 딱히 정해진 건 없다. 하지만 기업의 영업이익이 계속 증가하고 미래 전망이 밝다면 당연히 주가가 오르고 해당 기업 주식에 투자한 투자자의 수익도 안정적으로 커지는 가장 이상적인 투자방법이다. 그렇지만 현실은 이상과 아무래도 거리감이 있다. 투자하려는 기업이 훌륭하더라도 아무 때나 투자할 수는 없다. 그런 기업은 이미 주가가 많이 올라 있는 경우가 대부분이다.

중장기투자에서 매수 타이밍을 잡는 정형화된 공식은 따로 없다. 하지만 투자 경험상 지나고 보니 확률적으로 큰 수익이 나는 정황들이 있었다. 중장기투자에서 매수 시점과 매수 종목 선정, 상승 초기 해당 주식 매수에 실패했을 때 추격매수하는 방법 등을 함께 살펴보도록 하자.

1. 매수 시점 판단하기

중장기투자자의 매수 시점 언제일까? 필자 생각에는 최소 하락기가 끝난 후, 시장지수의 바닥을 반드시 확인한 후 매수하는 것이 좋다고 생각한다. 지수의 최저 바닥, 종목의 최저점 가격은 누구도 알 수 없다. 그러나 기술적으로 코스피, 코스닥지수의 골든크로스가 나타난 이후 매수하는 것이 좋다. 수익을 조금 손해 보더라도 시장지수의 '진바닥'을 꼭 확인하고 매수하는 전략을 추천한다. 이 방법이 안정적이다.

| 코스피지수 골든크로스 |

코스피지수 골든크로스 발생은 2020년 3월 하순, 코로나 여파로 지수가 급락한 이후에 급반등하면서 코스피지수 일봉 차트상에 나타난 것이 대표적이다. 2023년 코스피지수가 하락을 멈추고 반등하면서 코스피지수 골든크로스가 일시적으로 짧게 발생하기도 했다. 이런 경우 지속적으로 우상향 상승하는 환경이 아니기 때문에 지수 일봉 차트를 수시로 점검하면서 단기 바닥에 지지선이 확인되면 매수, 이격이 발생하고 데드크로스가 나타나면 매도하는 전략을 짜는 것이 유리하다.

2. 중장기투자에서의 종목 선정

이번에는 중장기투자 시의 종목 선정에 대해 알아볼 차례다. 중장기투자를 목적으로 투자한다면 종목을 어떻게 골라야 좋을까? 투자 종목을 고르는 방법은 일반적으로 투자하는 그 시기에 시대정신을 반영한 중대형 우량주를 중심으로 골라야 한다. 시가총액(시총)이 작고 대주주의 지분이 많은 중소형 주식 중에는 간혹 의도적으로 주가를 끌어올리는 불공정 거래, 주가조작 세력의 타깃 종목이 되기도 한다. 따라서 각별한 주의가 필요하다. 중소형 개별주식은 이슈와 뉴스에 따라 급등락이 심하고 변동성이 크게 나타나기에 중장기 종목으로 투자하기엔 적합하지 않다.

예들 들면, 지난 2007년 코스피지수가 최초로 2000포인트를 상회한 시기에는 중공업과 철강 분야가 전성기였다. 당시에는 해당 섹터의 대장주 급인 '포스코'와 '현대중공업'이 투자자들의 주목을 받았다. 이후 2008년 베이징 올림픽을 대비해 중국 정부가 인프라 투자에 막대한 자금을 쏟아부었고 가장 큰 수혜를 받은 철강, 중공업 관련 주식이 6개월가량 큰 상승세를 보여주었다. 그리고 몇 년 후엔 반도체 시대가 도래했다. 즉 2010년 이후 반도체가 '산업의 쌀'로 주목받으면서 '삼성전자'와 'SK하이닉스'가 우수한 투자 실적을 나타냈다.

2020년 코로나 대유행 시기에는 비대면 시대가 찾아와 플랫폼 기업 및 인터넷 주식('네이버', '카카오' 등)과 코로나 진단키트(씨젠 등), 코로나 치료제 관련 주식이 중장기투자에 적합한 종목이었다.

| 에코프로 일봉 차트 추이 |

2021년 하반기에는 게임주, 엔터주 섹터에서 NFT-메타버스에 힘입어 급등세를 보인 종목이 나타났고, 2023년 상반기에는 에코프로(086520)를 비롯한 2차전지 관련주가 시장 중심주로 떠올라 투자자의 관심이 이곳에 쏠렸다.

과거에 비해 글로벌 경제 상황이 급변하고 개술개발과 혁신의 영향으로 기업의 성장 속도가 매우 빠르게 이루어지기 때문에 주식 투자에서 중장기투자의 개념도 너무 긴 시간이 아닌 비교적 짧은 기간 내에 높은 수익률을 나타내는 종목이 많음을 기억해야 한다.

지수가 횡보장(박스권)에서 답보하는 경우도 1~3개월간 비교적 짧은 기간에 100~500% 급등하는 종목 군이 빈번히 나타난다. 따라서 2~3개월도 중장기투자라고 볼 수 있다. 가령, 2023년 미국 나스닥에 상장된 엔비디아와 전기차 대장주 테슬라의 지속적인 상승세에 힘입어 국내 주식시장에서는 한미반도체(042700), 에코프로와 같은 기업의 주식들이 중장기적으로 큰 폭의 상승세를 보여주었다. 미국 시장과의 동조화(커플링) 현상은 앞으로 더욱 심화될 것으로 예상됨에 따라 이 또한 우리가 주의깊게 살펴가며 중장기 투자에 적극 활용해야 한다.

3. 저가 매수를 놓쳤을 때 추격매수법

주식시장에서 주식가격이나 시장지수는 하루 이틀 사이에도 오르내림의 폭이 큰 경우가 대부분이다. 오히려 좁은 박스권에서 움직임이 없는 경우가 드물다. 개별종목의 변동성은 종목에 따라 다르다. 그러나 하루 이틀 사이 30~50% 변동성을 보이는 종목도 정말 많다. 이미 바닥 대비 30~50% 이상 크게 상승한 종목을 추격매수에 나선다는 건 투자자 입장에서 매우 부담스러운 일이다. 중장기 투자일지라도 '고점 매수가 아닐까?' 하는 두려운 생각이 드는 게 당연하다. 흔히 저점에 있을 땐 투자자의 눈에 안 보이다가 어느 정도 주가가 상승한 이후 증권 관련 뉴스나 언론에 보도되면서 해당 종목이 투자자의 눈에 들어오기 시작하는 것이다.

바닥 대비 300~500% 정도의 엄청난 대 시세를 내는 시가총액이 큰 종목은 특징이 있다. 이런 종목 대부분은 **기술적으로 골든 크로스가 발생한 이후 차트가 정배열의 모습을 보여주고 5, 10, 20일선 간격이 별로 넓지 않은 촘촘한 간격을 유지한다. 따라서 매수하고 싶은 종목이 바닥에서 30~50% 상승했더라도 매수하고 싶은 시기의 해당 종목이 시장 중심주라고 판단하면, 단기적으로 5일선 또는 10일선에 왔을 때 전체 투자금의 10~20% 정도 매수해야 한다.** 즉 바닥에서 30~50% 정도 올랐다면 해당 주식이 시장 중심주인지 냉정하게 판단해볼 필요가 있다. 그리고 주가가 5일선이나 10일선에 닿으면 어느 정도 확신을 가지고 매수하라는 이야기다. 이때 투자금의 일부를 넣어야 한다. 이후 주식가격이 5일선을 타고 다시 오르면(회복) 나머지 투자금으로 모두 매수하는 전략을 써야 한다.

즉, 주가가 10일선까지 하락했다가 다시 5일선을 회복하면 추격매수로 모든 금액을 투자하면 된다. **단, 주가가 10일선까지 하락한 후 추가로 20일선까지 깨고 아래로 밀리면, 큰 시세를 내는 시장 중심주가 절대 아니다.** 바닥 대비 30~50% 상승한 종목이 시장 중심주라는 확신이 들어 매수했으나, 주가가 20일선까지 내려간다면 시장 중심주라고 판단한 투자자의 생각이 잘못되었음을 인정하고 투자전략을 빠르게 수정해야 한다. 즉시 매도하거나, 매수가까지 근접했을 때 매도하거나 선택해야 한다. 큰 시세를 내는 시장 중심주는 웬만해서는 20일선까지 내려가지 않는다.

300~500% 상승한 시총이 큰 종목이 상승 초기에 5일선 10일선에 닿지 않고 상승하는 경우가 거의 없다고 보면 맞다. 이 말은 대세 상승을 만들기 전 '초기에 5일선과 10일선 근처에서 매수할 기회를 반드시 준다'는 의미다.

정배열 상승 초기부터 급등세를 보이는 일부 종목은 10일선까지 밀리는 데 꽤 많은 상승세를 나타낸 이후에 보이는 경우도 간혹 있다. 가격이 급등해 큰 이격을 보였다면 이럴 때는 이격이 좁혀져 5일선에 닿으면 10~20% 정도 매수한다. 그리고 다음 날 5일선을 타고 상승세를 유지한다면 추격매수를 하면 된다. 주식투자는 사실 어느 정도 리스크를 안고 시작하는 게임이라고 말할 수 있다. 너무 조심하면 큰 수익을 절대 만들 수 없다. 되도록 쉽게 설명하고자 했으나 한계를 느낀다. 다시 핵심만 간략히 정리하면 아래와 같다.

1) 코스피, 코스닥지수 전체가 그다지 나쁘지 않을 것

2) 매수하려는 종목이 시장 중심주일 것

3) 기술적으로(차트가) 이동평균선이 정배열 초입 구간일 것

위 세 가지 조건을 충족한 중대형주라면 단기적으로 저가 대비

30~50% 정도 상승했더라도 5일선, 10일선에서 적극적으로 추격 매수할 것을 권한다. 1)~3)과 같은 조건이 만들어진다면 겁먹지 말고 과감히 투자해야 큰 수익을 기대할 수 있다(PART 5 대 시세를 만드는 투식투자에서 다시 언급한다).

Chapter 3

중장기투자 시
주식 매도

주식투자의 성공을 결정하는 가장 중요한 행위가 매도다. 주식을 저가에 매수해 크게 올랐음에도 매도 타이밍을 놓쳐 현금화하지 못한다면 모두 헛일이다. 그래서 사람들은 주식투자를 두고 '주가가 쌀 때 사서 주가가 비쌀 때 파는 것이 전부'라고들 말한다. 평생 주식투자를 해온 필자도 매일매일 고민하는 일이 단기투자에서 저점매수와 고점매도의 문제다. 중장기투자에서는 매도 시기가 특히 더 중요하다. 오죽하면 주식은 타이밍의 예술이라는 말까지 있을까. 매도가 분명 더 어려운 결정이다. 너무 일찍 팔아서 후회, 눈치 보며 늦게 팔아 손해 본 경험이 셀 수 없이 많다. 지금까지 정리한 것과 마찬가지로 필자가 큰 시세차익을 거둔 경험을 바탕으로 중장기투자 매도의 핵심을 정리한다.

1. 중장기투자의 수익 극대화

주식투자자 가운데 중장기투자를 하는 분들을 냉정하게 나누자면 두 부류로 가를 수 있다.

한 부류는 자신이 매수한 종목이 계속 하락해 자신의 의지와 관계없이 반강제적으로 중장기투자 처지에 몰린 경우다. 주가가 하락하는 초기에 매도하면 큰 손실을 막을 수 있었음에도 매도 타이밍을 놓친 투자자다. 매시간 엄청난 스트레스를 겪으며 손실이 점점 커지는 계좌를 지켜만 봐야 하는 처지에 놓인다. 마음고생을 말로 다 설명할 수 없다.

참고할 만한 사례를 소개한다. 미국 나스닥에 상장된 전기차 기업 리비안(RIVIN)은 상장 직후 세계 1위 전기차 기업 테슬라의 성공 영향으로 주당 150달러까지 상승했다. 그러나 2023년 5월 말 기준, 85% 하락한 주당 13~14달러에 머물렀다가 2023년 9월 중순에는 22~23달러에 거래되었다. 이 종목에 투자한 분들은 시장 상황을 정확히 판단해 손실이 적을 때 손절 결정을 내려야 했다. 이런 투자 결정은 중장기투자에서 매우 중요한 판단이다. 손실이 난 원금을 회복할 때까지 자금이 묶여 기회비용을 잃기 쉽기 때문이다. 시간이 좀 지나 원금을 회복하면 그나마 다행이다. 더 큰 문제는 영영 매수 주가를 회복하지 못하는 경우다.

또 다른 부류는 투자자의 심리 중 하나로 '오랫동안 보유한 종목이 마이너스에서 플러스로 전환하면 대부분 빨리 매도하고 빠져나오는 투자자다. 지긋지긋했던 마이너스에서 벗어나는 순간–기대 이하의 수익일지언정–빨리 수익을 실현하고 싶어 매도에 나선다. 이처럼 투자자 대부분이 '손실은 길게, 수익은 짧게 가져가는 일이 많다.' 이는 위험 회피 심리가 인간에게 존재하기 때문이다. 투자자의 계좌에는 손실이 난 주식만 남아 있거나, 어렵사리 투자금 본전 정도만 건진 결과와 마주하게 된다. 후자처럼 투자금을 회복했더라도 그간 투자해온 기간을 고려하면 냉정히 말해 손해다. 하지만 정말 실력 있는 투자자라면 이와 반대로(수익은 길게, 손실은 짧게!) 계좌를 관리해야 한다.

다시 말하면, 매수한 종목의 주가가 마이너스를 보이며 파랗게 변하면 즉각 매도(마이너스 5% 매도), 거꾸로 빨갛게 플러스를 보이면 길게 보유하는 방법에 익숙해져야 투자자 계좌의 자산이 계속 늘어난다. 매우 중요한 이야기다. 통계적으로도 확인된 내용인데, 투자자들은 자신의 계좌에 플러스가 나면 서둘러 팔고, 파랗게 마이너스로 바뀌면 팔기 아까운 생각에(손실 회피 심리) 손실을 오랫동안 가져간다. 이미 많은 투자자가 경험했겠지만, 마이너스 계좌는 시간이 지날수록 더 큰 손실만 안겨줄 뿐이다. 그리고 이런 투자를 반복하는 분들이 생각보다 많다. 잘못된 투자 습관을 고쳐야 한다.

중장기 보유한 주식이 플러스로 전환되면, 서둘러 매도할 것이 아니라 해당 종목을 다시 깊이 있게 공부해야 한다. 세상의 모든 일이 그렇듯 원인이 존재하니까 긍정이든 부정이든 결과가 만들어지는 것이다. 차트상 정배열 여부(기술적 분석), 시장 분위기(코스피, 코스닥지수 흐름), 영업실적(기본적 분석) 등의 자료를 꼼꼼하게 살펴서 대응할 필요가 있다. 그리고 매도할지 보유할지 결정해야 한다.

그런데 만약 상승장이라는 판단이 서고, 주가가 더 오를 것으로 기대한다면 투자자가 설정한 매도가에서 30% 이내의 물량만 매도하기를 권한다. 상승장 초기에 보유 물량을 모두 매도했는데 그렇게 모두 처분한 주식이 추가로 상승하면 그처럼 속 쓰린 일이 없다. 이는 필자도 숱하게 겪은 일이다. 중장기투자에서 수익을 극대화하고자 한다면 일단 시장 상황부터 파악하고, 보유 종목을 손절할지 익절할지를 결정해야 한다. 이런 판단에 능하고 익숙해야 주식투자 고수다.

2. 중장기투자에서의 환상적인 매도

보유한 주식을 언제 매수했는지에 따라서 대체로 투자자는 매수, 매도의 시점이 달라진다. 예를 들어 기아 주식을 65,000원에 매수했는데 6만 원대까지 밀린 경험을 가진 투자자는 손실이 회복되면 팔고 싶은 유혹에 빠진다. 손실이 가져다 주는 스트레스에서 벗어나고 싶은 건 당연한 심리다. 다시 기아 주식으로 돌아가, 2022년 12월 말 무렵 6만 원대까지 떨어진 기아는 2023년 4월 9만 원대까지 올랐다. 6개월 만에 무려 50%나 오른 것이다. 지수가 회복세를 보이고, 내가 보유한 주식이 기술적으로 정배열 우상향이라면 차트상 꼭지를 확인한 후 매도하는 것이 좋다.

물론 수익이 발생한 초기에 팔고 싶은 유혹이 강하게 들겠지만, 이럴 땐 자신이 보유한 물량의 20~30%만 매도하고 나머지는 차트상 데드크로스가 발생할 때 모두 매도해야 한다. 바로 이 방법이 중장기투자에서 큰 수익을 내는 환상적인 매도의 기술이다. 필자가 강조한 말들이 여럿 있고 몇몇 이야기는 지금도 시장에서 회자되곤 하는데, '꼭지(고점)를 확인하고 팔라!'는 말 또한 필자가 몸소 겪은 후 소개한 이야기 중 하나다. '꼭지(고점)를 확인하고 팔라!'는 말을 정말 많이 했다. 그만큼 중요하다는 이야기다.

| 잘못된 투자자들의 주식투자 |

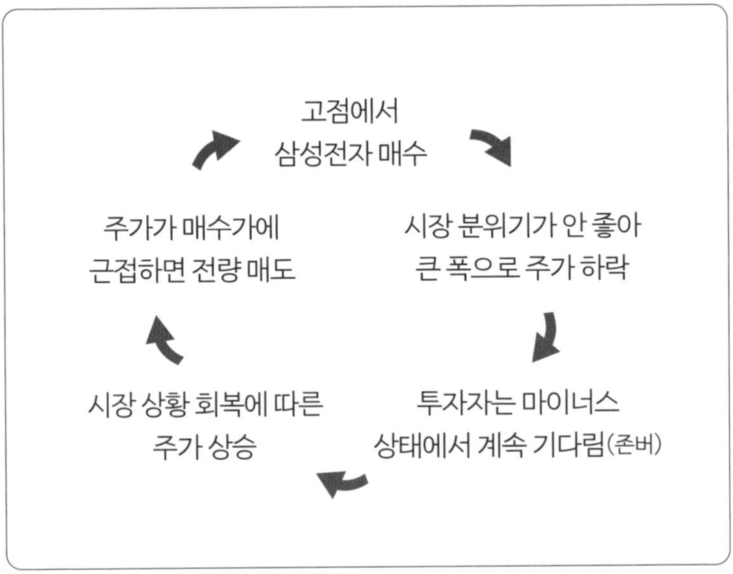

수익을 내지 못하는 투자자 대부분이 위와 같은 일을 반복한다. 이런 투자로는 절대 수익을 낼 수 없다. 더군다나 큰 수익은 거의 불가능하다고 본다. 사례처럼 그나마 대표적인 우량주 삼성전자에 투자했으니 시간이 지나면 손실 회복 가능성이 크다. 그렇더라도 시간이라는 기회비용을 들인 걸 고려하면, 결과적으로 손해라고 봐야 한다.

시가총액이 큰 대형주의 경우에는 1일 주식거래일 기준으로 10~20% 이상 상승하는 일이 드물다. 정말 큰 호재가 발생하거나 투자자의 쏠림 현상(일명 '돈 쏠림')이 심한 경우 10~20%의 급등세가 나타난다. 이럴 땐 일단 모두 매도하는 것이 좋다. 10% 이상 오르기 힘든 대형주가 그렇게 상승하면 당분간은 수익을 더 내주지 않는다. 2021년 1월 초 삼성전자, 2022년 2월 초반 기아 등은 정배열 이후 우상향 끝 무렵 갭 상승으로 피날레를 장식하고 '데드크로스'가 발생하면서 줄곧 내리막길로 전환했다.* 이런 사례를 참고하여 실전 투자에 반영하기 바란다.

---

* 중장기투자라고 해서 매수 이후 매도할 때까지 마냥 묻어두고 갈 수만은 없다. 아무리 대형주, 시장 중심주라도 데드크로스가 발생하면 이유를 불문하고 매도를 고려해야 한다. 20일선이나 60일선을 해치지 않고 다시 오를 때 재매수하는 전략이 수익을 극대화하는 방법이다.

3. 중장기투자, 능사가 아니다

안정적인 투자를 원하는 많은 투자자가 필자에게 이구동성으로 묻는 말이 있다.

'변동성이 적고 꾸준히 우상향하는 우량주가 있을까요?'

이 질문에 대한 답은 아래와 같다.

'시장 변동 상황에 따라 대응하는 것이 최선입니다!'

실시간으로 시장에 대응하기 힘든 직장인이라면 적립식으로 매월 일정 금액을 투자해서 수익이 나는 종목 추천을 바라기도 한다. 정보가 제한적인 시절에는 이른바 우아한 투자가 가능했다. 꾸준히 지속적으로 성장하는 기업의 주식이 몇 해에 걸쳐 천천히 상승하는 일이 흔했다. 요즘에는 주식 정보를 실시간으로 전달하는 수많은 매체가 존재하고, 주식투자 인구의 증가, 그리고 SNS의 영향에 따라 일부 대형주를 제외하고는 우아한 투자를 하기가 무척 어려운 환경이다. 경제학자들도 예측하기 힘든 글로벌 경제의 급격한 변화, 그리고 이에 따른 경제 산업 구조의 부침이 과거와 달리 매우 유동적이다. 따라서 주식가격의 변동성도 매우 크다.

중장기투자를 선호하는 투자자일지라도 시장을 예측하고 변화무쌍한 시장 상황에 따라 때때로 단기 대응을 할 줄 알아야 자산을 잃지 않고 키워갈 수 있다. 그리고 힘겹게 불린 자산을 지킬 수도 있다. 중장기투자가 정답, 능사가 아니라는 말을 하고 싶다.

우리나라 코스피, 코스닥 시장에서 신고가를 기록하는 종목 대부분이 시대정신에 부합한 기업들이다. 그런데 변화도 빠르고 트렌드도 자주 바뀐다. 쏠림현상도 심한 편이다. 아쉽게도 미국처럼 10~20년 길게 오랫동안 우상향하며 성장할 것으로 예상되는 기업 찾기가 힘들다. 따라서 중장기투자 관점이라 해도 시장이 돌아가는 상황에 발맞추어 빠르게 대응할 줄 알아야 한다.

Chapter 4

하락장에서의 주식투자

인생에서의 부침(浮沈)은 대부분 예고 없이, 소리 소문도 없이 슬며시 찾아오는 법이다. 주식투자도 매한가지다. 투자자가 두려워하는 하락장(급락장)은 항상 예고 없이 찾아온다. 오르막길의 끝은 내리막길이거나 절벽이다. 주식시장에서도 상승장이나 오름세가 멈추면 하락장이거나 급락장이다. 미국의 다우, 나스닥지수가 데드크로스를 보이며 우리 시장에 영향을 미쳐 코스피, 코스닥지수에 데드크로스가 나타난 초기라면, 강조해서 설명한 것처럼 모든 주식을 빠르게 매도하는 전략을 취해야 한다. 다른 방법이 없다. 필자가 37년간 시간 시장에서 경험하고 배운 최선의 대응법이다.

1. 지수를 이기는 종목은 없다

지수가 급락하면 대부분의 개별 주가도 지수 흐름에 따라 내려가게 마련이다. 설령 내가 보유한 주식은 우량주니까 절대 떨어지지 않을 거야 하고 생각한다면 오산이다. 절대 방심해서는 안 된다. 잘 알고 계시겠지만 코스피200, 코스닥150, 나스닥100은 각각 200종목, 150종목, 100종목으로 구성된다. 지수가 하락하면 지수가 하락한 만큼 구성 종목도 평균적으로 하락한다. 버텨낼 재간이 없다. 물론 지수가 급락을 멈추고 완만히 하락하는 시기 또는 횡보장(박스권) 상황에서는 지수 대비 초과 수익을 내는 종목이 속출하기도 한다. 하지만 지수가 급락하는 시기에는 아무리 뛰어난 투자자일지라도 지수 대비 초과 수익을 내기가 거의 불가능하다.

이제 더욱 세부적으로 주식투자 행위를 파악해보자. 주식투자는 결국 확률 게임의 상황에 처하는 경우가 많다. 필자 역시 **'수익이 날 확률이 높을 때 매수하고, 추가 수익이 날 확률이 높지 않을 때 매도'**한다. 여러분도 이 말을 꼭 기억해 투자에 반영, 실천하기를 바란다. 다시 한번 강조하지만 **'수익이 날 확률이 높을 때 매수, 더 이상 추가 수익이 날 확률이 없다고 판단하면 매도하자!' 지수를 이기는 종목은 거의 없다.** 이 말을 꼭 기억하기 바란다. 진리는 간단명료하다.

화려한 수식어나 꾸밈말이 필요 없다. 누구나 아는 말인지라 쉬운 일처럼 여겨지겠지만, 누구나 실천할 수 있는 건 절대 아니다. 그렇기에 많은 투자자가 화려한 수익 대신에 초라한 손실을 더 많이 경험한다.

2. 현금 확보가 생존 전략

주식투자는 투자자의 현금 자산을 가지고 주식을 매개로 돈을 버는 투자 행위다. 하락장에서 주식에 많은 투자금이 물려 있다면, 물린 주가가 회복될 때까지 운영할 자금이 없어 갑갑할 때가 많다. 특히나 무엇보다 하락세가 길어져 보유 주식이 마이너스 상태라면 손실이 난 계좌를 들여다보며 '괜히 주식에 손을 댔다!'며 자신을 원망한다. 돈과 관련된 일인 만큼 스트레스 수치도 당연히 크게 오른다. 수중에 현금이 없다면 하락장이나 횡보장에서 설혹 좋은 주식이 눈에 띄더라도 매수할 수 없다. 특히 강세장, 상승장 초기에는 풀매수를 해도 쉽게 수익이 나기 때문에 잉여 현금을 확보할 필요성이 상대적으로 덜 하다. 그러나 횡보장(박스권)에서는 사정이 완전히 다르다. 이런 장에서는 현금을 50%가량 확보해야 한다. 더군다나 시장이 하락하는 장에서는 반드시 80%가량의 현금 확보가 필수다.

'횡보장(박스권)에서는 50% 현금 확보!'

'하락장에서는 80% 현금 확보!'

전쟁터에 나선 병사에게 총과 실탄이 생명을 지켜주는 기본 무기이듯, 주식시장에서는 현금 확보가 투자자의 자산을 지키고 키우는 보루 역할을 한다. 기존 책과 방송 등에서도 밝혔지만 필자는 수익이 나면 바로 현금화하는 일을 원칙으로 세워 지켜왔다. 그리고 주변의 누군가가 주식으로 큰 수익을 냈다는 이야기를 들으면 현금으로 찾아 통장에 보유하든, 살던 집을 넓혀가든 하는 것이 좀 긴 안목으로 보면 수익 난 자산을 지키는 일이라고 조언했다. 지금도 그 생각엔 변함이 없다. 현금 확보는 칼자루를 쥐고 주도권을 행사하는 일과 같다. 시장은 강세장만 있는 게 아니다. 오히려 약세장, 보합장, 하락장이 더 많다. 이런 장에서 모든 자금이 계좌에 묶이면 투자 주도권을 잃고 오로지 시장 상황에 결과를 내맡겨야 한다. 투자 운신의 폭을 넓히려면 현금 확보의 중요성을 기억하기 바란다.

참고로 만약 전업투자를 고려하는 중이라면, 마찬가지로 현금 확보를 해야 유리하다. 주식투자는 투자자의 심리가 큰 투자 결과에 큰 영향을 미친다. 수중에 현금이 없다면 여유로운 마음을 갖기 힘들다. 자칫 시장이 긴박하게 돌아갈 경우, 이성적인 투자 판단 대신 마음에 여유가 없어 오판할 수도 있다. 돌이킬 수 없는 한 번의 실수를 만회하기 위해 오랫동안 마음고생을 하기도 한다. 따라서 전업투자를 생각 중이라면 최소 6개월 이상의 생활비 정도는 따로 갖고 있어야 한다. 그보다 넉넉한 1~2년 치 생활비를 확보했다면 매우 이상적이다.

3. 다음 기회를 기다리는 것도 투자

주식투자를 하다 보면, 좋은 기회를 여러 번 만난다. 주식투자에서 좋은 기회란 큰돈을 벌 종목을 매수한다는 의미다. 단기매매 트레이딩을 전문으로 하는 투자자는 일주일, 심지어 하루에도 몇 차례 좋은 기회와 마주한다. 누구나 좋은 기회를 놓치면 안타깝고 기회를 놓친 본인에게 화도 난다. 돈 벌 기회가 눈앞에서 사라지는 걸 보았으니 화뿐 아니라 스트레스까지 밀려든다. 주식을 소량 매수한 이후 주가가 급등하면, 조금 올랐을 때 팔았는데 팔자마자 급격히 추가로 상승할 때에도 큰 스트레스를 받는다. 주식투자는 이래저래 많은 스트레스를 겪어내고 이겨내야 하는 참 고단한 일이다. 그래서 쉽지만은 않다. 보유한 주식을 매도하자마자 곧바로 크게 주가가 오르더라도 너무 속상해할 필요가 없다. 그 이야기를 들려드리겠다.

자본주의 시스템이 유지되고 시장이 열려 있는 한 기회는 언제든 다시 찾아온다. 시장이 늘 변하기 때문이다. 유행도 트렌드도 시대 중심주도 변한다. 그러니 수익 날 기회를 놓쳤다고 너무 아쉬워할 필요가 없다. 아쉬운 마음을 달래고 다시 기회를 기다리면 또 다시 기회가 온다. 그때 '부지불식간(不知不識間)'에 찾아온 기회를 내 것으로 만들면 그만이다.

‘주식시장이 열려 거래가 계속되는 한,

수익을 안겨줄 기회는 언제든 다시 찾아온다!’

오랫동안 건강하게 투자를 하려면 스트레스 관리가 중요하다. 스트레스 관리보다 중요한 건 없다. 돈을 많이 벌어도 건강을 잃으면 다 잃는 것과 똑같다. 아무 소용이 없다. 사실 필자도 많은 스트레스를 받는다. 모니터 앞에 앉아 있는 내내 스트레스의 연속이다. 그때마다 스트레스 관리의 중요성을 떠올리며 마음의 안정을 찾고자 노력한다. 또다시 기회가 올 거라는 생각을 하는 것이다. 수익을 내는 일만큼이나 중요한 것이 스트레스 관리다. 스트레스는 투자에 여러 가지 부정적인 영향을 미친다.

2021년 6월 코스피지수가 3300포인트를 기록한 이후 하락기가 오랫동안 길게 이어졌다. 중장기투자자로서는 기회를 맞이할 시기가 그만큼 길어진 것이겠지만 ‘고생 끝에 낙이 온다’는 말처럼 2023년 상반기 또다시 기회가 찾아왔다. 챗GPT, 2차전지, 반도체 섹터에 큰 수익을 낼 기회가 있었다. 시장이 나쁘다고 손 놓고 있으면 절대 안 된다. 꾸준히 공부하고 기다리면서 기회가 다시 찾아오면 수익이라는 결과를 만들어야 한다. 인생도, 주식투자도 반전의 기회가 있다. 기다리면 반드시 찾아오는 좋은 기회를 내 것으로 만들기 위한 준비의 시간이 가끔은 필요하다. 그런 면에서 보면, 기다리며 준비하는 일도 중요한 투자라 하겠다.

BUY
SELL

A PROFITABLE

PART 4

단기투자로 수익 만들기

STOCK INVESTMENT

Intro

쉽지 않은 단기투자에서 큰 수익 만들기

처음 주식을 하는 분이라면 중장기투자가 아닌 단기투자부터 경험할 것 같다. 필자도 마찬가지였다. 그런데 솔직히 말해서 단기투자로 큰 시세차익을 거두기란 쉽지 않다. 그렇다고 불가능한 일이라고 생각하지는 않는다. 다만, 단기투자의 경우 많은 투자금을 가지고 해본다는 것 자체가 리스크가 된다. 그리고 대부분 변동성이 큰 시장이기 때문에 빠른 대응에 능해야 한다. 경험도 좀 있고 실력도 갖추어야 큰 수익을 낼 수 있다는 이야기다.

단기투자에서의 매수는 당시의 이슈나 뉴스에 빠르게 반응하며 거래량이 늘어나는 종목 중에서 골라야 한다. 그것이 원칙이다. 그리고 '차트 살펴보기(기술적 분석)'에서 소개한 이동평균선의 파악과 활용이 중요하다. 변동성이 큰 시장에서 과거 주가의 흐름을 참고해 향후 주가의 방향을 예측하는 일에 능해야 하는데, 이때 도움이 되는 기본 자료가 차트다.

'PART 4'에서도 필자가 경험해온 단기투자 이야기를 다루고자 한다. 성공적인 단기투자로 성과를 내기 위해 준비해야 할 것들, 실전 단기매매 시 종목 고르기, 주의해야 할 점, 그리고 단기투자의 범주에 속하는 테마주(관련주) 투자 이야기까지 포함한다.

필자가 늘 강조한 말이지만, 이상적인 주식투자는 단기투자에서 일정한 수익을 내는 실력과 자신감, 그리고 시장을 보는 안목 갖추기로 중장기투자를 할 수 있어야 진정한 투자 실력이라고 할 수 있다. 사실 많은 투자자가 용기를 갖고 단기투자에 나섰으나 손실만 경험하고 시장을 떠나곤 한다. 이런 모습이 숱하다. 적은 투자금으로 빨리 돈을 벌고 싶어 단기투자에 나섰지만 꾸준히 단기투자로 수익을 내는 일은 결코 쉬운 일이 아니다. 오랜 시간 주식을 해온 필자도 단기투자가 여전히 어렵다. 하지만 방법이 없는 건 아니라고 했다. 그 방법을 여러분과 공유한다.

Chapter 1

단기투자의 이해

먼저 단기투자의 기준부터 설정하고 시작하자. 주식투자는 투자 대상인 주가의 변동성과 투자자의 성향에 따라 단기투자, 중장기투자로 구분한다. 하지만 절대적인 기준이 따로 있는 건 아니다. 따라서 '주식 보유 기간이 얼마라야 단기로 볼 것인가?'라는 문제로 고민하거나, 선을 긋듯 정확한 기준을 만들어 결정할 필요는 없다. 필자도 단기투자와 중장기투자 계좌의 구분만 있을 뿐이다. 단순히 편의상 명목적으로만 구분해서 투자한다. 단기투자 계좌는 대개 보유 기간을 2주 이상 넘겨본 적이 드물다. 이에 필자는 보유 기간을 최대 2주 정도까지를 단기투자라고 여긴다. 물론 순전히 필자 개인의 소견이고 기준이다.

트레이딩을 할 때는 하루에도 수차례 매매하는 일이 많다. 미국처럼 거래세가 없고 대량 거래가 손쉬운 시장에서는 프로그램을 이용한 초단기 매매가 극성을 부리기도 한다. 단기투자에도 다양한 형태가 있다. 온종일 시세창을 들여다보며 대응하기가 어려운 직장인이라면 3~4일 정도 주식을 보유했다가 매도하는 단기매매를 해볼 수 있다.

1. 단기투자의 유혹

모든 주식투자자는 돈을 벌기를 원한다. 그래서 주식에 투자한다. 이왕이면 빨리, 되도록 많은 돈을 벌고자 하는 마음이 모든 투자자의 심리이자 희망이다. 이는 본능에 가까운 일이기도 하다. 주식투자자가 '돈 욕심이 없다!'고 말한다면 주식으로 돈 벌 자신이 없다는 걸 에둘러 표현해 말하는 것과 같다.

크게 돈 벌 욕심이 없다면 안전자산인 은행의 예·적금이나 국채에 투자하면 더 편할 것이다.

만약 주식시장이 안 좋은 상황이라면 연간 10% 이상의 수익을 만들기가 정말 힘들다. 그런데 시장지수(코스피, 코스닥지수)가 하락한 날이라도 상승률 10% 이상 오른 종목은 대체로 20~30개 정도 출현한다. 매시간 시세창을 살펴보는 트레이더나 전업투자자는 상승 종목에 자연스럽게 눈이 간다. 시장지수가 지지부진한 날에도 특정 섹터나 종목 군에서 몇몇 급등 종목이 출현하고, 주변에서 어떤 사람이 큰 돈을 벌었다는 보도가 나오면 솔직히 부럽기도 하다. 그 수익에 내가 동참하지 못했다는 생각이 들면 자신을 자책하기도 한다.

냉정히 말해서 '단기투자를 하지 말라!'는 만류는 단기투자로 수익을 만들어낼 능력과 자신이 없는 분들이 하는 말이다. 그렇다고 필자가 단기투자를 부추기거나 권장한다는 말이 아니니 오해 없으시기 바란다. 단기투자로 큰돈을 버는 일이 불가능한 건 아니다. 다만, 생각보다 어려운 일이라고 다시 강조한다. 바꿔 말해 단기투자는 아무나 해서는 안 된다는 말이기도 하다. 불가능한 일은 아니지만, 생각처럼 단기투자로 큰돈을 번다는 건 쉽지 않다. 단기투자는 투기적인 요소가 매우 많다. 따라서 '주식 중독'에 노출되기 쉬운 부분도 있다. 이런 현실임에도 많은 투자자가 단기투자로 부자가 되겠다는 생각에서 벗어나지 못한다. 낮은 금리로 유동성이 공급되던 시기에는 많은 분이 새롭게 주식시장에 들어오기도 했다. 물론 상대적으로 수익이 쉽게 나는 시장이기도 했지만, 한편으로는 사람들이 단기투자를 너무 만만하게 생각하는 건 아닌가 싶어 우려스럽기도 하다.

2. 수익보다 큰 거래 비용

잦은 단기매매 시 발생하는 거래 비용도 꼭 고려해야 한다. 만약 주식을 1억 원어치 매수했다가 매도하면, 증권거래세와 수수료를 포함한 거래 비용 등으로(증권사마다 거래 비용의 차이가 조금씩 있다) 약 30~50만 원을 지불해야 한다. 예를 들어, 어떤 주식을 1만 원에 매수했는데 똑같은 가격 1만 원에 매도했다면 본전이 아니라 손실이다. 주식투자를 게임에 비교하면 처음부터 마이너스에서 시작하는 수익률 게임이라고 말할 수 있다. 따라서 빈번한 거래는 결과적으로 수익보다 비용을 더 많이 지출하는 상황을 만든다.

단기투자로 항상 수익이 나는 것도 아닌데, 증권거래세와 수수료로 돈이 빠져나가면 투자자는 이중으로 속이 쓰리다. 특히 시장 상황이 전체적으로 좋지 않아서 수익 실현이 좀처럼 어려운 상황이라면 빈번한 거래가 한결 더 위험하다. 현실이 이런데도 많은 단기투자자가 매매를 쉬거나 멈추지 못한다. 습관이 되어 자꾸 매수 주문을 참지 못하는 것이다.

비용과 관련하여 필자의 사례를 소개한다. 2021년에 겪은 일이다. 어느 날 주로 단기투자 거래를 하는 모 증권사의 계좌 3개를 확인할 기회가 있었다. 이들 계좌의 수익을 살펴보았더니 3개 계좌에서 약 30억 원의 누적 수익이 나왔다. 그리고 이번에는 거래 수수료를 모두 더해보았다. 그랬더니 놀랍게도 무려 20억 원이 수수료와 거래세로 지출되었음을 눈으로 직접 확인했다! 대충 짐작은 했지만, 빠져나간 비용을 확인하고 많이 놀랄 수밖에 없었다. 이처럼 잦은 단기매매는 수익보다 더 많은 수수료와 거래세를 감당해야 한다. 어설프게 단기투자를 할 경우, 금전적으로 투자 손실과 거래 비용 두 가지 손해를 경험할 수 있다. 단기매매에 나서는 많은 투자자가 수익보다 더 큰 거래 비용이 발생할 수 있다는 점을 잊기 쉬운데, 이를 명심하기 바란다. 적은 비용이라고 무시하면 안 된다. 시나브로 새어나가는 돈을 가벼이 생각하면 절대 큰돈을 벌 수 없다.

3. 단기투자의 장점

주식투자자에게 가장 행복한 순간은 언제일까? 내가 매수한 주식이 크게 올라 큰 수익을 경험하면 주식투자처럼 즐겁고 행복한 일이 없다. 그러나 세상살이가 모두 그렇듯 시장이 항상 호의적이고 좋을 수만은 없다. 투자자에게 긍정적이고 호황인 시장보다 부정적이고 불황인 상황이 더 길고 많다. 그런데 의외로 코스피지수가 내려가는 하락장이나 변동성이 큰 불안한 시장에서는 단기투자가 중장기투자보다 훨씬 유리할 수 있다.

필자는 단기투자 금액을 1~2억 원으로 정해두고 투자한다(2억 원짜리 계좌지만 신용이 되는 종목은 3억 원 이상 매수할 수 있어 결코 적은 금액이 아니다). 참고로 단기투자는 큰 금액으로 운영하기가 쉽지 않다. 투자금이 적으면 덩치가 큰 계좌보다 상대적으로 처분하기가 한결 편하다. 특히 변동성이 큰 장이나 시장이 불안한 모습이라면 나스닥 선물을 보고 오버나이트(Over Night)*를 할지 말지 결정한다. 우리나라 시장과 같은 시간대에 열리는 중국, 홍콩 주식시장이 하락하고 전날 나스닥 선물 역시 하락한 상황이라면 웬만해서는 보유하지 않고 넘어간다.

다시 말하지만, 단기투자로는 꾸준히 수익을 내기가 어렵다. 그러나 방법이 없는 건 아니다. 필자가 소개하는 몇 가지 단기투자 수익 모형(모델)**을 배우고 이를 터득해 실전 단기투자에 적극적으로 활용하면 수익을 낼 수 있다. 그리고 꽤 수익이 발생해 계좌에 돈이 불어났다면 수시로 인출하여 현금화하기를 다시 한번 강조한

---

* 그날 매수한 주식을 그날 매도하지 않고, 다음날 매도하는 전략이다.

** CHAPTER 3 '단기투자 매매법'을 참고하기 바란다.

다. 계좌에 찍힌 숫자는 무의미하다. 중장기보다 특히 단기투자에서는 계좌의 돈을 인출해 현금화하는 것을 원칙으로 세워 실천한다. 돈이 들어와야 진짜 내 돈이다. 수익 나면 돈을 찾는 경험, 거기서 느끼는 짜릿한 행복은 경험해본 사람만 안다. 여러분도 현금 인출의 짜릿한 경험을 많이 해보기를 진심으로 바란다.

부자가 되는 주식투자 상식 ⑦

실전투자대회, 떨어진 단기투자 감각 찾기

증권회사 중 주기적으로 실전투자대회를 개최하는 몇 곳이 있다. 증권사가 실전투자대회를 개최하는 이유는 따로 있다. 회사를 홍보하고 새로운 고객을 유치하는 데 도움이 되기 때문이다. 한마디로 홍보와 신규 고객 유치를 도모하고자 실전투자대회를 개최한다. 개최 비용과 상위 수상자에게 제공하는 상금은 대회 참가자가 지불하는 매매 수수료로 충당하고도 남는다.

필자는 전업투자를 시작하고 몇 년 정도 지났을 때 실전투자대회에 처음 참가했다. 제법 안정적인 수익이 나기 시작한 지 몇 년쯤 지난 때였다. 투자와 매매에 나름 자신이 붙어 스스로 '이 정도면 꽤 잘하는 투자'라고 생각하고 있었다. 실전투자대회에 참가해 실력을 직접 확인하고 싶어서 2007년 실전투자대회 1억 클럽에 처음 출전했다. 운 좋게 2등으로 대회를 마감할 수 있었는데, 주식투자를 잘하면 투자로 수익도 얻고, 상패와 상금도 받을 수 있다는 걸 알았다. 실전 투자대회라고 특별한 매매법을 사용하는 건 아니다. 평소 매매법과 다를 것이 하나도 없다. 즉 주식투자 매매법은 동일하다. 대회든 전업이든 양쪽 다 내 돈으로 하는 내 투자다. 그런데 대회에 참가하면 수상하고 싶은 욕심이 생긴다. 그래서 투자 시 고도의 집중력과 주의가 뒤따라야 한다. 증권사마다 조금씩 차이가 있지만 일반적으로 대회 기간은 6~8주간 진행한다.

가령, 6주간 진행하는 대회 기간 중 대회 종료일 전날까지 높은 수익률을 기록하다가도 마지막 거래일에 큰 손실이 나면 그동안 만들어놓은 수익과 수고가 다 헛일이 된다. 수포가 되고 마는 것이다. 수상은커녕 소중한 종잣돈마저 잃는 분들을 많이 볼 수 있었다. 심지어 주식시장이 급락하는 시기에 열리는 실전투자대회에서는 참가자 중 70~80%가 마이너스 수익을 기록한 것도 목격했다. 사람이 항상 긴장하고 집중하며 살 수는 없다. 그러나 주식투자, 특히 단기투자에서는 집중하고 또 신중해야 한다. 한 번의 매매 실수로 회복 불가능한 상태로 내몰리면 절대 안 된다. 실전투자대회도 잘 활용하면 매매에 큰 도움이 된다. 일정 금액으로 일정 기간을 정해놓고 수익률을 겨루는 실전투자대회에 참여해볼 만하다. 되돌아보면 필자의 단기매매 실력을 한 단계 업그레이드시켜준 반전의 기회가 실전투자대회였다. 어떤 대회든지 운 좋게 한두 번이 아닌 세 번 이상 수상했다는 건 실력이 좋다는 것을 의미한다.

전업 초기에는 아무래도 종잣돈이 적은 관계로 단기매매에 치중할 수밖에 없었다. 그런데 시간이 지나면서 투자금이 늘고 계좌도 여러 개 관리하면서 단기투자 대신 중장기투자에 더 많이 집중하는 방향으로 바뀌어 갔다. 사정이 이렇다 보니 단기투자의 실력이 떨어지는 걸 느낄 때가 있었다. 이에 필자는 증권사의 대회 참가 요청이 있거나 스스로 단기투자의 감이 떨어졌다고 느낄 때 가끔은 실전투자대회에 참가했다. 집중력과 긴장감을 안고 대회에 나가면 실전투자 실력과 감을 찾는 데 도움이 된다. 그간 잊고 있던 단기투자의 집중력과 긴장감이 되살아남을 느끼는 것이다. 필자는 단기투자가 변동성이 심하고 시장이 불안할 때 중장기투자보다 더 큰 수익을 내는 방법이라고 생각한다.

책의 서두에서 말한 바처럼 주식투자를 하면서 가장 행복한 순간은 수익 실현, 현금을 인출하는 경험이다. 단기투자에서 수익금을 재투자에 활용해 복리 효과를 누리는 투자방법은 실력이 출중한 전문 트레이더에게나 해당하는 말이다.

Chapter 2

단기투자에 필요한 요소

누구나 정당한 방법으로 빠르게, 그리고 많은 돈을 벌기 원한다. 이는 모든 사람의 희망이고 꿈이다. 유독 1등을 많이 배출한 복권방에는 사람들의 행렬이 길게 이어져 장사진을 이룬다. 나도 1등에 당첨될 수 있을 거라는 희망이 그 대열에 합류하도록 만든다. 정당한 방법이라면 수고를 아끼지 않고 누구나 큰 돈 벌기를 바란다.

주식투자의 본질은 기업의 성장에 맞추어 그 성장의 과실을 나누는 일이다. 그런데 주식투자는 대표적인 하이-리스크(High-Risk) 하이-리턴(High-Return) 게임이다. 가치주, 성장주 투자가 좋다고 생각하는 분들은 단기투자가 위험하다고 볼 수도 있다. 단기투자가 나쁜 건 분명 아닌데, 빨리 돈을 벌고 싶은 것만큼 리스크가 높은 것도 사실이다. 일반 주식투자인 중장기투자보다 더 빨리 돈을 벌고 싶어 단기투자에 나섰다면 그만큼 몇 배 더 공부하고 노력해야 한다. 또 경험과 실력을 충분히 갖추어야 수익을 낼 수 있다. 실력은 하루아침에 완성되지 않는다. 숱한 매매 경험, 그중에서도 단기투자 수익 실현 경험이 있어야 한다. 당연히 수익 실현 경험이 단기투자에서 자신감을 북돋워준다.

1. 단기투자에 필요한 투자 마인드

사람들의 성향은 제각각이다. 군인이나 경찰처럼 제복을 입혀놓으면 단체에 개인이 가려져 모두 비슷해 보인다. 그러나 일상생활로 돌아가면 취미나 특기가 모두 달라 '100인(人) 100색(色)'이다. 주식 투자자의 스타일과 성향도 제각각일 것이다. 당연한 이야기다.

그러나 단기투자에서는 투자자의 생각과 행동이 민첩하고 재빨라야 한다. 사고도 유연해야 하고 행동은 더욱 적극적이어야 한다. 또 '차트'라고 부르는 이동평균선(일봉, 주봉, 월봉 등)을 볼 줄도 알아야 한다. **횡보장(박스권)에서의 단기매매는 이동평균선을 보고 매매 판단을 내리는 것이 무척 중요하기 때문이다.** '천천히 매수하고 느긋하게 매도해도 되겠거니!'라는 여유로운 성격이나 성품을 가졌다면, 그런 사람은 단기매매와 어울리지 않는다. 물론 지극히 필자의 생각임을 밝힌다.

단기투자는 변동성이 큰 주식을 매수 타깃으로 삼는 일이 대부분이다. 따라서 고점에서 매도하지 못하면 생각지도 못한 큰 손실로 연결되기가 쉽다. 단기투자자에겐 일상적인 일이다. 투자자가 급등한 종목을 보유한 상황이라면 시장 흐름과 상황에 따라 빠른 매도를 항상 염두에 두어야 한다. 언제든 과감하게 빠른 매도를 실행할 준비가 되어 있어야 한다는 이야기다. 이런 결단과 과감함이 단기투자에서 정말 중요하다. 머뭇거리다가 타이밍을 한번 놓치면 두 번 다시 그런 기회가 오지 않는다. 아마 단기투자를 해본 거의 모든 분이 이런 경험을 해보았을 것이라고 생각한다. 단기투자 경험이 풍부하다고 자부하는 필자 또한 간혹 매도 타이밍을 놓쳐 손실이 나기도 한다. 1년에 이런 일이 몇 번씩 벌어진다. 다만, 필자의 경우 어떤 종목에서 손실을 보더라도 또 다른 종목에서 빠르게 손실을 만회하여 투자금을 복구하는 일에 능하다. 잘난 척하려는 것이 아니라, 경험 많고 실력 있는 투자자도 과감하고 빠른 단기투자 매도 대응이 쉽지 않음을 말씀드리는 것이다.

2. 누구나 할 수 있지만 성공 확률이 낮은 단기투자

트레이딩을 비롯한 단기투자를 누구는 해도 되고, 누구는 절대로 하면 안 되는 기준이나 구분은 없다. 다만, 변동성이 큰 단기매매는 시세창을 자주 들여다보기 힘든 근무 환경을 가진 분은 아무래도 단기투자가 무리일 수 있다. 집중하기 힘들어 신경이 분산되면, 본업에도 큰 지장을 줄 뿐이다. 또 단기투자는 주식투자의 전반적인 지식이 어느 정도 있어야 할 뿐만 아니라, 단기 고점과 단기 저점 차트(이동평균선을 보는 눈이 꼭 필요함을 다시 강조한다!)를 구분할 줄도 알아야 한다.

단기투자에서는 순간적으로 빠른 판단을 내려야 할 때가 많다. 그리고 매수, 매도를 실행할 땐 민첩해야 한다. 빠른 판단과 민첩함, 그리고 결단력이 단기투자에서 매우 중요하다. 필자의 경우 급박할 때에는 매수가, 매도가를 지정해서 주문을 내지 않고 시장가로 매매하는 경우가 정말 많다. 이런 판단은 수시로 이루어진다. 게임이라면 다시 시작해 성과를 내면 되지만, 주식투자는 돈이 걸린 문제다. 투자자의 자산이 증가하거나 감소하는 일과 직결된다. 따라서 단 한 번의 트레이딩도 절대 소홀할 수 없다. 준비가 덜 되었거나 경험이 부족한 분이라면 굳이 단기투자에 나설 필요가 없다고 생각한다. 수익을 낼 확률이 생각보다 낮으니까 다시 한번 드리는 말씀이다.

3. 단기투자에 필요한 사전 점검

단기투자에 능한 증권맨이나 전업투자자는 생각보다 많은 것을 준비한다. 주식시장이 열리기 전 이들이 준비하는 것들은 대부분 비슷한 내용이다. 그중 필자가 생각하는 중요한 몇 가지 내용을 간추려 아래에 소개한다.

1) 우리 시간으로 이른 아침에 마감하는 미국 주식시장을 점검한다

미국의 다우지수, 나스닥지수, S&P500지수가 상승 또는 하락한 이유와 시장에서 큰 이슈로 떠오른 종목을 분석하는 일도 빼놓을 수 없다. 그뿐만 아니라 혹시라도 코스피, 코스닥지수에 영향을 미칠 요인이 있는지 살펴본다.

2) 국내 시장 상황을 점검하는 일도 개장 전에 마쳐야 한다

급락장, 횡보장(박스권), 상승장에 따라 단기매매에 우호적인지 아니면 조심해야 할 장인지를 파악한다. 급락장이거나 하락장이라면 단기매매를 최대한 자제하는 것이 좋다. 반대로 상승장이거나 시장 전체 분위기가 호의적이라면 단기매매에 적극적으로 응할 준비를 한다.

3) 개별종목의 일정을 파악한다

어떤 개별종목의 당일 또는 일주일 동안의 일정 가운데 전환사채(CB) 물량 출회, 신주인수권부사채(BW) 행사 물량, 유·무상증자 상장 여부 등을 반드시 점검한다. 그리고 의무보호예수해제* 종목도 점검하고 메모한다.

4) 보유한 종목의 이슈를 점검하는 일도 빼놓을 수 없다

또 신규 매수할 종목의 이슈와 뉴스도 살피면서 매수할지, 매도할지 미리 생각하고 준비한다.

5) 현재 시점에서 시장에 우호적인 이슈나 뉴스에 해당하는 종목이 있는지 파악한다

만약 부정적인 뉴스가 나오면 시장에 어떤 영향을 줄지, 어떤 종목에 영향을 미칠지, 파급 효과의 지속성이 얼마나 될지 예상해본다.

위에서 나열한 이야기는 주식시장이 열리는 오전 9시 전까지 필자가 거의 매일 하는 몸에 익은 사전 점검 요소다. 투자에 나서기 전 시장을 파악하는 일종의 루틴(Routine)이라고 하겠다. 주식투자

---

* 의무보호예수해제란 상장 이후 대주주 등이 주식을 곧바로 매도하지 못하고 일정 기간(1~3년)이 지난 후 매도하도록 하는 '투자자보호조치' 가운데 하나다. 의무보호기간이 지나면 대량 물량이 나올 수 있다.

에서 수익은 절대 거저 만들어지지 않는다. 부지런해야 한다. 노력과 공부가 뒤따라야만 수익 날 확률도 높아진다. 주식투자 역시 아는 만큼 보이고 공부한 만큼 수익이 나는 행위다. 아무리 강조해도 지나친 말이 절대 아님을 밝힌다.

Chapter 3

단기투자 매매법

주식투자자가 반드시 이루어야 할 일은 '주식투자 독립'이다. 마찬가지로 필자가 책을 통해 그리고 방송에서도 힘주어 강조한 이야기가 '주식투자 독립'이다. 누군가 알려주고 흘리는 정보에 매달리는 단기투자로는 절대 실력이 늘지 않고 수익도 나지 않는다. 운이 따라 수익이 좀 났더라도 다시 투자해야 하는 상황이 오면 막막해질 뿐이다. 주식투자 독립을 이루지 못했기 때문이다. 스스로 종목을 분석하여 매수한 종목에서 수익이 나는 경험은 중요하다. 이를 반복하면서 진정한 '주식투자 독립'을 이루어가는 것이다.

한 가지 단기투자 팁이 있다. 시총이 큰 우량 종목을 대상으로 1년 이상 단기투자 연습을 해본 후 트레이딩에 제법 익숙해지는 것이다. 주식투자의 감, 차트를 보는 눈, 시장 상황 파악 등의 연습이 끝났다면 당시 뉴스에 뜨겁게 반응하는 개별종목으로 넘어가는 것이다. 절대 망하지 않을 우량 종목에 투자하면 손실을 좀 보더라도 망하지는 않는다.

1. 단기투자에서 종목 찾기

주식투자는 '주식투자 독립 전과 후로 나뉜다'고 말해도 과장된 이야기가 아니다. 주식투자 독립은 쉽지 않다. 하지만 여러분이 반드시 이루어내야 할 일이다. 특히 전업투자를 고민 중인 분은 어느 정도 '주식투자 독립'을 이룬 후에 시작해야 고생을 덜한다. 많은 투자자가 궁금해하는 것은 수익이 나는 종목을 찾는 일이다. 종목 찾기는 중요하면서도 한편으로는 어려운 일이기도 하다. 이에 내 경험을 소개한다. 필자는 수익이 날 종목을 세 가지 방법으로 찾는다.

1) 이른바 움직이는 종목에서 찾는다

시장에 상장된 수많은 종목 중 실제로 대량의 거래가 뒤따라 상승하며 시장에서 주목받는 종목은 대체로 시장에 상장된 전체 주식 중 10~20% 정도다. 평소보다 거래량이 많고 주가가 상승한다는 건 당시 이슈나 호재로 투자자가 관심을 갖고 매수에 나섰다는 뜻이다. 매우 당연한 말이지만 움직이는 종목은 초기 매수가 중요하다. 초기 매수는 큰 수익과 직결되기 때문이다.

2) 시장 중심 이슈에 해당하는 종목에서 찾는다

트레이딩을 포함한 단기매매는 단기 테마주 매매방법과 비슷하다. 그러나 테마주 매매보다 단기매매의 경우 범위가 훨씬 넓다. 실적 양호, 공급 체결, 글로벌 기업과의 제휴 등 주가를 끌어올린 뉴스와 이슈는 다양하며 여러 가지다.

3) 단기 차트(기술적 분석)를 참고해 찾는다

하락을 멈추고 이동평균선 60일, 120일선에서 횡보하는 종목*이 관심 대상이다. 그리고 20~30% 정도 1차 상승을 했지만 하락하여 10일선, 20일선을 지지하며 다시 반등하는 종목도 관심권에 둔다.

* 이동평균선 60일선, 120일선 아래로 더 내려가지 않아야 한다.

2. 단기투자에서의 매수

단기투자의 매수에서 꼭 기억해야 할 세 가지 내용이 있다.

그 내용을 한 가지씩 정리해 소개한다.

첫째, 단기투자에서 매수의 전제조건 중 가장 중요한 건 코스피, 코스닥의 시장 분위기다. 시장 분위기가 우호적일 때에만 가능하다. 시장 전체 분위기가 폭락하는 장이거나 하락장이라면 이 방법을 적용할 수 없다. 그러니까 시장 분위기가 우호적이라는 전제조건 아래, 트레이딩을 포함한 짧은 단기투자에서는 횡보하다가 장대 양봉(폴대)을 처음 세우는 종목이 눈에 띄면 무조건 매수한다. **주가가 그다지 변동성을 보이지 않다가 거래량이 소폭 늘면서 조금씩 상승하는 종목 대부분은 호재성 정보나 뉴스를 가장 가까운 곳에서 접한 사람들이 매수하기 때문이다.**

방금 필자는 '주가가 횡보하다가 당일 장대 양봉을 세우는 종목을 무조건 매수하라'고 말했다. 그런데 여기서도 조건이 붙는다. 당일 상승률이 10% 전후까지는 매수해도 된다. 그런데 상승률이 15% 이상 오르면 매수에 신중해야 한다. 만약 15% 이상 상승한 종목을 매수했다면, 매수 후 일단 차트를 살펴볼 필요가 있다. 그리고 주가가 오른 진짜 이유를 찾아야 한다. 만약 해당 종목의 뉴스나 이슈가 강하다고 판단하면 상한가까지 오르기를 기다리는 것도 좋다. 그런데 20% 이상 상승한 후 상한가로 마감하지 못하면 어떻게 할까? 이럴 땐 상황을 주시하면서 오후 2시 이후 상한가를 기록하지 못하면 미련 없이 무조건 매도한다.

정리하면, 20% 이상 크게 상승한 종목이라도 이슈나 뉴스와 호재가 강력하면 상한가까지 기다린다. 여기서 기억해야 할 전제조건은 '상승률 10%대에서 매수 후 뉴스와 이슈가 강하다고 보일 때'라는 점이다.

'10% 전후 상승해도 매수한다.'

'뉴스와 호재가 강력하면 상한가까지 기다린다.'

'상한가에 닿지 못하면 상황을 살펴, 되도록 고점에서 매도한다(20% 상승을 넘어 25%를 넘기더라도 상한가를 터치하지 못하고 주춤하는 일이 흔하다. 이럴 땐 더 기다릴 것 없이 과감히 매도한다. 상황을 살피며 되도록 고점에서 매도해야 한다.)'

상승 10% 전후의 종목을 초기에 매수할 때에도 알아야 할 내용이 있다. 계좌의 10~20% 정도만 매수하는 것이다. 만약 투자금의 10~20% 매수 후 주가가 추가로 상승하면 추격매수에 나선다. 단 여기서도 알아야 할 내용이 있다. 주가가 매수가 아래로 떨어질 수도 있는데, 가격이 낮아졌다고 섣불리 추격매수에 나서면 안 된다. **추격매수의 전제조건은 주가가 계속 오르는 경우로 한정한다!**

'오르는 종목을 추격매수해야 한다.'

'떨어지는 종목은 절대 추격매수해선 안 된다(물타기 금지!).'

둘째, 추격매수는 주가가 20% 이상 오르면 멈추는 것이 좋다. 즉, 주가가 20% 상승하기 전 매수를 모두 마무리한다. 매수를 마친 후 해당 종목이 상한가까지 가는지, 못 가는지 지켜보는 것이다. 참고로 주가가 오랫동안 횡보하다가 처음 장대 양봉을(10% 이상 오르는 큰 상승) 세운 종목은 대부분 며칠 후 차트가 아래에서 정배열로 펼쳐지곤 한다.

| 양봉(폴대) 생성 후 아래에서 정배열 생성 |

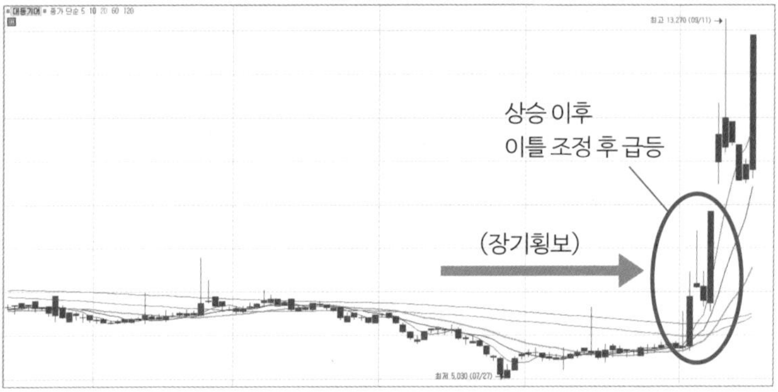

처음엔 단기투자로 대응했지만, 시간이 지나면서 중장기로 상승하는 종목도 제법 있다. 투자자는 상황을 지켜보면서 처음 생각처럼 단기로 끝낼지, 중장기투자로 끌고 갈지 결정해야 할 때도 있

다. 상승 10%대에서 매수한 종목이 상한가로 마감을 했다면, 이튿날 장 초반에 매도하지 말고 반드시 당일 최고가 꼭지를 확인한 후 매도하는 것이 트레이딩, 단기매매에서 수익률을 극대화하는 방법이다.

또한, 매우 강한 상승 이슈와 뉴스, 더불어 강력한 매수세가 더해져 상한가까지 오르는 종목도 있다. 이런 종목은 대부분 다음 날도 20% 이상 상승한다. 2020년, 2021년 코로나 시기에 첫 상한가 종목이 이후 연속해서 상한가까지 가거나 계속 상승한 사례가 있다. 코로나 관련 테마주에서 크게 오른 종목이 많았다. 자세한 이야기는 테마주를 소개할 때 다루도록 한다.

처음 상한가에 오른 종목을 당일 매수하지 못했다면, 이런 경우 필자는 다음 날 절대 추격매수하지 않는다. 강력한 재료로 상한가까지 오른 종목은 이후 3~5일 정도 지나면 5일선까지 하락한다. 그리고 이때 대부분 다시 한번 재상승하는 모습을 보여준다. 그러니까 이동평균선이 5일선에 닿을 것이라 예상하고, 실제로 5일선까지 하락하면 매수한다. 그리고 이후 상승하면 매도하는 것이다. 재상승한 당일 오후장에 이르러 상승 폭이 둔화하거나 하락 전환할 때 매수하면 절대 안 된다.

정리하면, 급상승한 종목은 3~5일쯤 지나면 5일선에 닿는다.

그리고 대체로 다시 한번 재상승한다. 그런데 상승세가 오후장에 들면 대부분 꺾이며 하락하는데, 이때 추가로 매수하고 싶은 유혹에 빠진다. 그러나 절대로 유혹에 넘어가 매수하면 안 된다. 이는 오랜 투자 경험으로 깨달은 진리다.

참고로 중장기투자에서도 5일선, 10일선을 타고 오르는 종목이 많다. 그런데 그런 주식 대부분은 시대 중심주 성향의 중대형주 주에서 많이 나타난다. 단기투자 시 개별주에서는 대부분 5일선에 닿고 되반등(재상승)이 한 차례 정도 일어나는데, 이후에는 무조건 5일선이 깨진다. 방금 설명한 이야기는 단기매매에서 무척 중요한 내용이다. 주로 트레이딩과 전업투자에 익숙한 투자자가 활용해 봄 직하다. 만약 **트레이딩 경험이 부족한 초보 투자자라면 빠른 대응이 어려워 따라 하기에는 위험이 따른다. 따라서 트레이딩 기본기를 제법 갖추고 매매 경험도 많은 분들이 적용해 보기를 권한다. 초보 투자자는 어느 정도 경험을 쌓은 후 도전해볼 만하다.**

세 번째, 단기투자 매수법은 패턴을 깨닫고 이를 활용한 투자다. 이 역시 크게 세 가지로 나눌 수 있다. 필자의 전작 《평생 부자로 사는 주식투자》에서도 소개한 내용이다. 내용을 강조하는 의미에서 다시 정리한다.

1) N형 패턴

주가가 횡보하다가 처음 대체로 20% 이상 상승했는데, 이후 3~7 거래일 후 하락하여 원래 가격까지 내려왔을 때 매수한다. 지수가 하락하거나 상승하는 장에서는 자주 안 나타나고 횡보하는 상황(박스권)에서 자주 출몰하는 패턴이다. 매수 부담이 거의 없다고 보면 된다. 단기매매에서 필자가 가장 선호하는 패턴이기도 하다.

- 주가가 횡보하다 호재성 뉴스로 급등한 종목이 대상이다.
- 대량거래 이후 3~7일간 하락해서 이격을 줄이고 이동평균선 5일선, 10일선을 지지할 때 매수한다. **매수 조건은 상승을 이끈 호재성 뉴스가 소멸되지 않아야 한다.**

| N형 패턴(글로벌에스엠) |

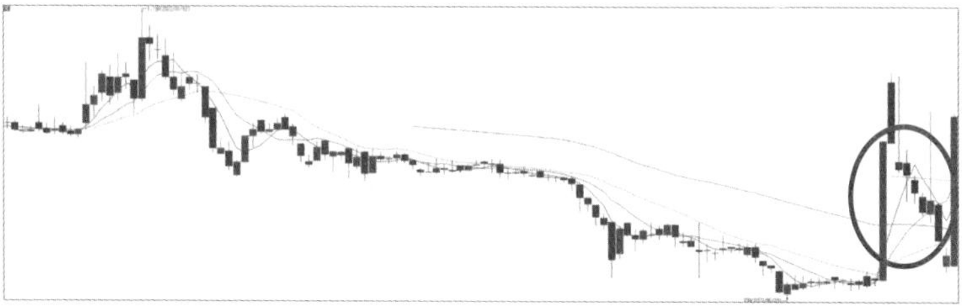

2) 양음양(+-+) 패턴

이슈나 호재성 뉴스가 지속되는 종목 군에서 자주 나타난다. 주식시장이 우호적일 때 양음양(+-+) 패턴을 많이 볼 수 있다. 이격이 많이 높지 않은 상태, 즉 가격이 많이 떠 있지 않은 상태에서 이동평균선 5일선 또는 10일선이 지지하는 가운데 어제 상승(+), 오늘 하락(-), 내일 상승(+)하는 패턴이다. 첫날 상승 후(양+) 다음 날 하락할 때(음-) 지지선이 이탈하지 않는 조건이라면 매수한다. 그리고 셋째 날 다시 상승(양+)하면 매도한다. 이때 매수 종목의 차트가 정배열을 보여주는 중대형주이고 또한 시대 중심주라고 판단하면 단기매매로 접근했더라도 중장기투자자로 넘어가는 것을 고려해볼 만하다.

| 양음양(+-+) 패턴(토마토시스템) |

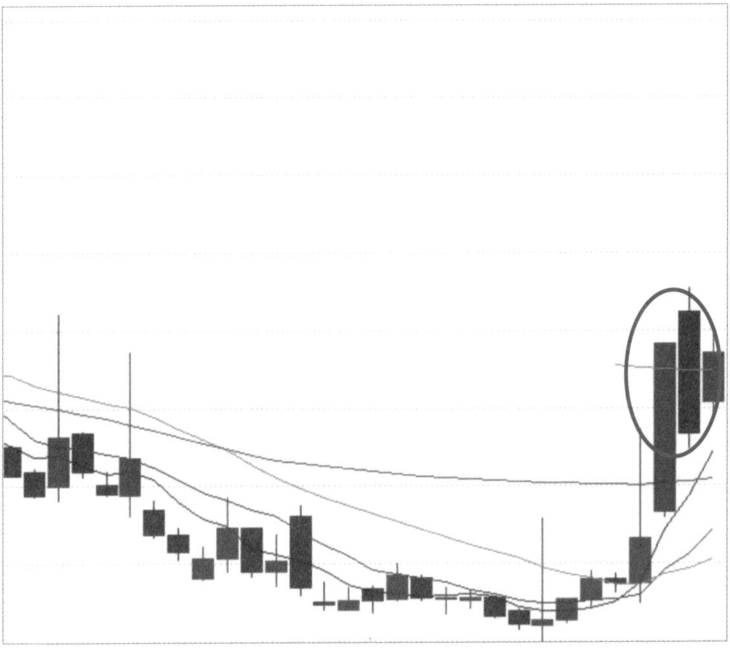

3) 십자(+) 도지형(시가와 종가가 거의 같은 가격) 패턴

20일선 또는 60일선, 120일선에서 십자(+) 도지형 표시가 나타나면 매수한다. 이때 주의할 것이 있다. 시장 상황이 우호적이어야 하고, 해당 종목의 물량 출회 여부(예; CB, BW, 유·무상증자 물량)를 반드시 확인해야 한다.

| 십자(+) 도지형 패턴(에스와이) |

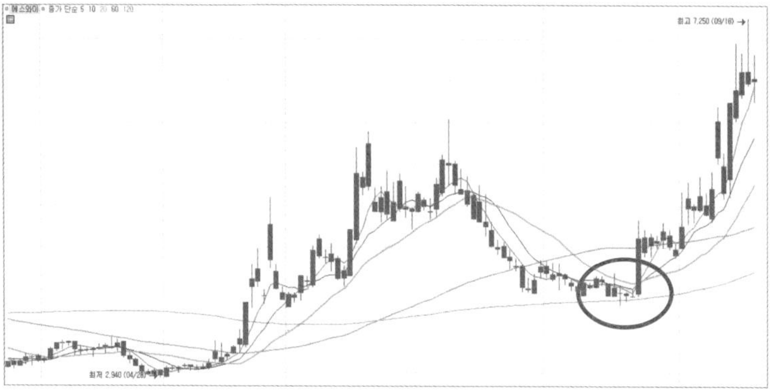

이상 세 가지 패턴이 차트를 눈으로 확인하며 도전해볼 수 있는 단기매매 매수법이다.

시장에서 주목받는 종목은 대체로 전체 상장 주식 중 10~20% 정도라고 앞에서 언급했다. 평소보다 거래량이 늘고 주가가 상승하는 이유는 당시 이슈나 호재로 투자자가 관심을 갖고 매수에 나선다는 의미다. 따라서 움직이는 종목이 더 오르기 전, 초기 매수가 중요하다. 대부분 주가가 오르는 걸 지켜만 보며 구경만 하다가 결국 주가가 크게 오른 후 매수하지 못한 자신을 탓하곤 한다. 단기투자 매수는 위와 같다. 필자가 소개한 단기투자 매수 조건에 부합하다면 용기를 갖고 매매에 나서보기 바란다.

위에서 언급한 사례와 달리 첫상한가 또는 급등세 이후 추가적으로 지속적으로 상승세를 보이는 경우도 있다. 모든 경우를 설명할 수 없음을 이해해주시기 바란다. 필자와 같은 프로급 트레이더는 순간적인 유연함으로 간혹 고점에서 매수하더라도 수익을 내고 나오기도 한다. 일반 투자자는 실현 가능한 단기매매 방법만 익혀서 수익을 냈으면 좋겠다. 투자 경험이 부족하고 미숙한 분은 단기매매 대응이 어려울 수 있다. 그래서 초보 투자자는 우선 경험부터 쌓기를 바란다. 일정 수준의 트레이딩 실력과 전업투자를 해본 분들은 위 내용을 자신의 단기매매에 적용할 수 있다고 생각한다.

수년 동안 주식투자를 했더라도 안 되는 사람은 안 된다. 주식투자로 돈을 버는 일은 투자를 해온 기간과 무관하다. 주식투자를 5년 이상 했더라도 수익을 내지 못하는 분들이 정말 많다. 이런 분들은 자신에게 익숙한 매매법을 냉정하게 돌아보고 점검할 필요가 있다. 검증되지 않은 남의 이야기, 특히 종목 추천방이나 SNS 주식투자 오픈방에서 흘리는 정보에는 귀를 닫는 것이 이롭다. 주식투자 인생길에 장애물이 될 뿐이다. 그런 이야기를 듣고 따라하다가는 손실만 키우기 쉽다. 제대로 된 투자법을 내 것으로 만들어

하루하루 경험하며 수익을 반복적으로 낼 줄 알아야 한다. 그것이 진정한 주식투자자다. 그리고 주식투자 독립을 이룬 투자자다.

3. 단기투자에서의 매도

단기매매는 주가가 오르면 서둘러 매수하는 경우가 대부분이다. 주가가 오른 주식을 보유한 투자자는 주가 상승 크기만큼 행복도 커진다. 그러나 대응이 어려운 초보 투자자는 그만큼 리스크도 크다. 즉, 단기투자를 할 땐 빠르고 신속하게 매도하겠다는 생각을 항상 가지고 있어야 한다는 이야기다. 단기투자에서 이런 매도 마인드가 없다면 단기투자를 아예 멀리하는 것이 좋다.

시장에서는 기준일 전 5거래일 상승률이 45~60% 이상 상승하는 종목에 투자주의 경고를 내린다. 그런데 투자주의 조치가 내려져도 주가가 더 오르면 투자경고가 부과된다. 시장이 과열된 상황에서는 투자경고가 붙더라도 계속 오르는 종목이 간혹 있다. 그러나 대부분 투자경고 조치가 내려지면 상승세가 멈춘다. 투자경고가 붙어도 투기 수요가 줄지 않고 주가가 계속 오르면 투자위험 종목으로 지정된다. 이는 가장 높은 단계의 시장경보 조치다. 단기매매 투자자는 해당 종목이 투자주의, 투자경고 또는 단기과열 등의 시장조치가 내려질 것을 예측하며 적절히 대응해야 한다.

시장경보제도의 이해
투자주의 → 투자경고 → 투자위험 시장조치

투기적이거나 불공정 거래의 가능성이 큰 종목 또는 주가가 비정상적으로 급등한 종목에 대해 시장경보제도를 적용한다. 투자자에게 주의를 환기시켜 불공정 거래를 사전에 예방하기 위함이다. 시장경보제도는 '투자주의 종목 → 투자경고 종목 → 투자위험 종목' 3단계로 이루어진다.* 그 내용을 하나씩 살펴보자.

① 투자주의
투기적이거나 불공정 거래 가능성이 큰 종목을 투자주의 종목으로 지정해 일반 투자자의 뇌동매매 방지와 잠재적 불공정 거래 행위자에게 경각심을 주려는 조치다.

② 투자경고
특정 종목의 주가가 비정상적으로 급등하면 불공정 거래를 방지하

* 시장경보제도의 관련 근거는 〈시장감시규정 제5조 및 시장감시규정 시행세칙 제3조〉이다. 이 근거에 따라 투기적이거나 불공정 거래 가능성이 있는 종목을 투자주의, 경고, 위험 종목으로 공표함으로써 일반 투자자들의 뇌동매매 방지와 잠재적 불공정 거래 행위자에게 경각심을 주고자 한다. 더 자세한 정보와 내용은 'http://moc.krx.co.kr/contents/SVL/M/03010200/MOC03010200.jsp'에서 살펴볼 수 있다.

고자 경고종목(과거에는 '감리종목' 또는 '이상급등종목'이라고 불렀다)으로 지정한다. 조치를 취해 가수요를 억제하고 주가 급등을 진정시켜 시장 안정화를 도모한다. 투자경고 종목으로 지정되면 아래와 같은 세부 규정이 붙는다.

- 해당 종목을 매수할 경우 위탁증거금을 100% 납부해야 한다.
- 신용융자로 해당 종목을 매수할 수 없다.
- 해당 종목은 대용증권으로 인정되지 않는다(코넥스 주권은 제외).
- 주가가 추가로 급등하면 매매거래정지 및 투자위험 종목으로 지정될 수 있다.

③ 투자위험

투자경고 종목 지정에도 투기 가수요와 뇌동매매가 진정되지 않고 주가가 계속 오르면 투자위험 종목으로 지정한다. 투자경고보다 한 단계 높은 시장경보다. 이런 종목은 투자자의 각별한 주의가 필요하다. 투자위험 종목으로 지정되면 아래와 같은 세부 규정이 붙는다.

- 해당 종목을 매수할 경우 위탁증거금을 100% 납부해야 한다.
- 신용융자로 해당종목을 매수할 수 없다.
- 해당 종목은 대용증권으로 인정되지 않는다.
- 투자경고 지정과 동시에 매매가 1일간 정지되며, 주가가 추가로 급등하면 하루 더 매매가 정지될 수 있다.

| 시장경보제도 개요 |

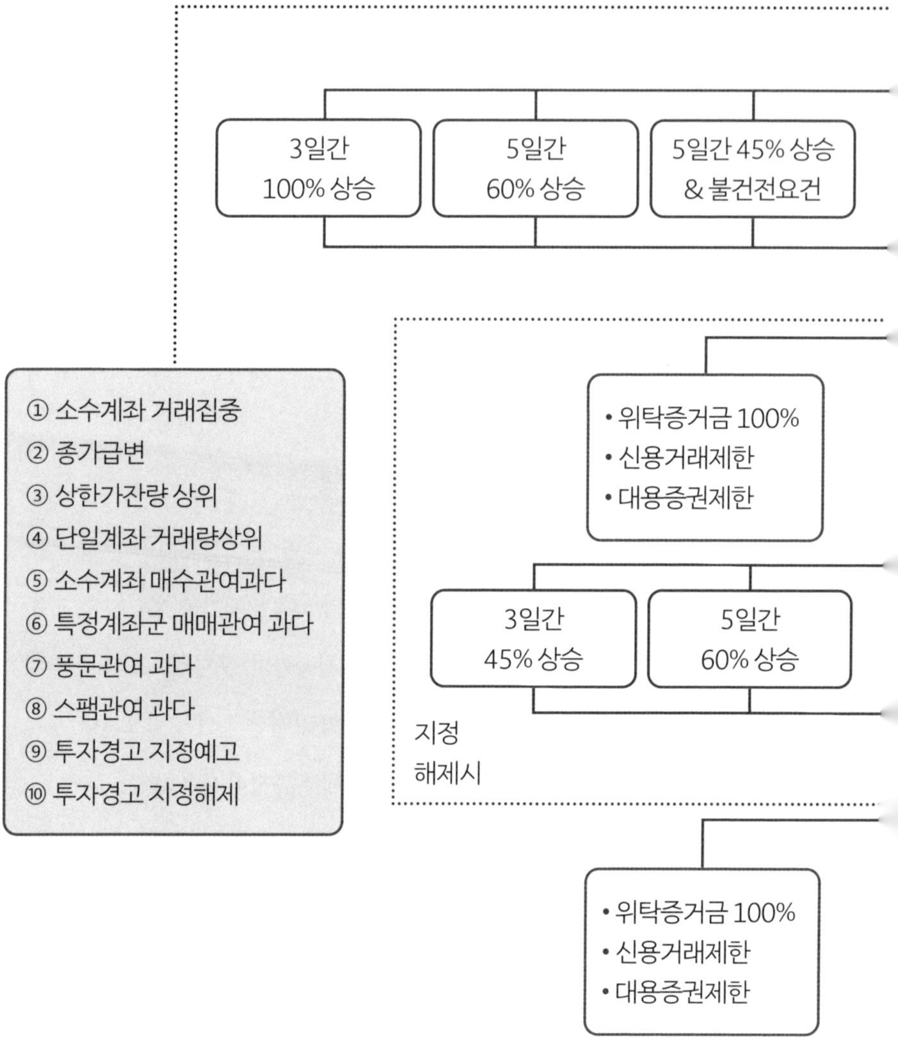

출처: http://moc.krx.co.kr/contents/SVL/M/03050100/MOC03050100.jsp

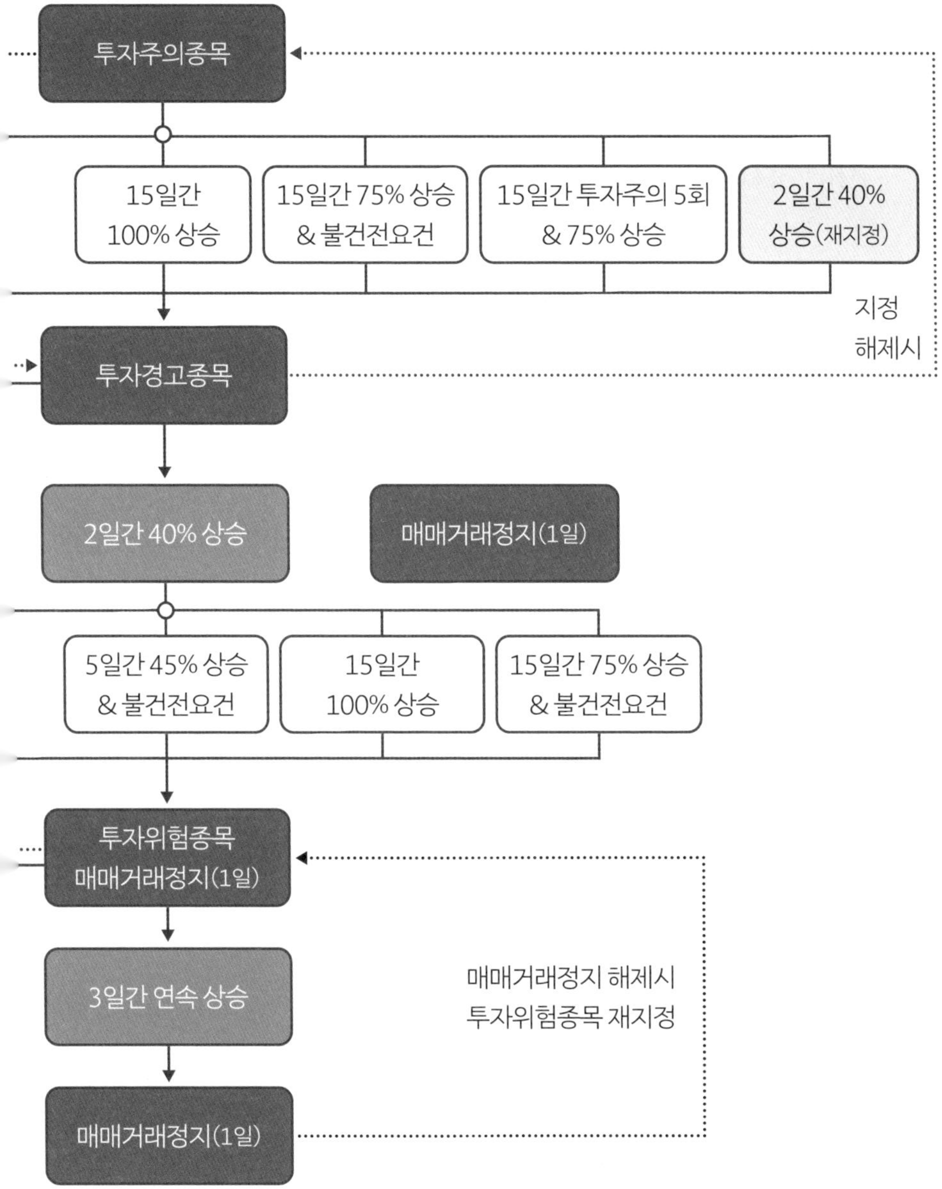
투자주의종목
15일간
100% 상승
15일간 75% 상승
& 불건전요건
15일간 투자주의 5회
& 75% 상승
2일간 40%
상승(재지정)
지정
해제시
투자경고종목
2일간 40% 상승
매매거래정지(1일)
5일간 45% 상승
& 불건전요건
15일간
100% 상승
15일간 75% 상승
& 불건전요건
투자위험종목
매매거래정지(1일)
3일간 연속 상승
매매거래정지 해제시
투자위험종목 재지정
매매거래정지(1일)

주식투자, 특히 단기투자에서는 시장경보제도를 늘 염두에 두기 바란다. 시장 변동성이 큰 상황에서 단기매매를 할 땐, 주가의 오르내림 폭이 큰 상황에서 대처를 잘 해야 수익이 만들어진다. 따라서 급등 또는 급락하는 주가의 진위를 파악하는 데에는 시장경보제도가 유익하다. 이 내용을 알고 대응해야 하기에 지면을 할애하여 정리했다.

투자경고의 경우 신용거래가 제한되고 대용증권으로 인정되지 않는다. 투자경고는 일종의 페널티(penalty)이자 경고다. 따라서 해당 주식의 상승세를 주춤하게 만든다. 투자경고 종목이 경고해제 조치를 받으려면 결국 주가가 시장조치 시점의 주가보다 하락해야 한다. 물론 이런 조치가 내려져도 계속 오르는 종목이 있다. 어떤 종목은 투자경고를 넘어 투자위험 종목으로 지정되기도 한다. 물론 투자위험 종목은 극소수에 불과하다. 대부분은 투자경고 조치가 내려지면 조치가 해제될 때까지 주가가 횡보하는 모습이 일반적이다. 따라서 투자주의 요건을 숙지하면 투자에 많은 도움이 된다. 투자주의나 투자경고가 붙을 것으로 예상되면 일단 매도하고 가급적 보유하지 않고 넘어가기를 권한다.

단기투자에서 반드시 알아야 할 매도법이 또 있다. 장 초반에 갭 상승하거나 이격이 높게 상승하면 일단 보유 종목의 50%가량 매도하는 것이다. 시초가가 낮게 형성되었다가 점차 상승하는 경우라면 분봉을 참고해 고점을 확인한 후 꺾이는 것을 확인하고 매도하자. **단기투자의 매도에서 가장 중요한 것은 주가 상승을 견인했던 뉴스나 이슈가 희석되기 전 빠르게, 과감히 매도하는 것이다.** 전일 억지 상한가*에 오른 종목은 시초가가 낮은 상승세를 보일 때, 즉 시초가에 시장가로 매도하는 것이 맞다.

4. 미련을 갖지 마라

주식시장에는 변동성이 큰 급등락 종목이 많다. 급등하는 종목을 매수하지 못했거나 혹시 보유했더라도 낮은 가격에 일찍 매도한 경험을 누구나 해보았을 것 같다. 더욱 안타까운 건 내가 매도한 후 주가가 보란 듯 크게 오를 때다. 주식투자를 하다 보면 이런 경험을 종종 한다. 당연히 투자자는 더 큰 수익을 낼 수 있었음에도 빠르게 매도한 결정을 아쉬워한다.

그러나 시장은 매일 열리고, 기회 또한 반복해서 찾아온다. 그러니 미련을 가질 필요가 없다. 그 경험을 교훈 삼아 다시 기회가 오면 매수를 놓치거나 일찍 매도하는 실수를 하지 않으면 된다. 유명

* 종가에 억지로 물량이 들어와 상한가까지 가는 것을 말한다.

한 주식 격언 중 '종목과 결혼하지 마라!'는 말이 있다. 급등한 종목을 일찍 매수하지 못한 아쉬움에 젖어 있으면, 해당 종목의 급등세가 꺾이는 하락 초기에 덜컥 매수하는 실수를 범하기도 한다. 그리고 이런 투자로 낭패를 보는 분들이 정말 많다. 특히 철 지난 종목, 이슈가 이미 소멸한 종목이라면 더 그렇다. 힘들게 사례를 찾을 것도 없이 코로나가 발생했을 때 크게 상승한 후 하락한 종목 몇 가지만 살펴보자.

가장 높은 상승률을 기록한 종목 중 하나가 코로나 치료제 개발사 신풍제약이다. 신풍제약은 2020년 한 해 동안 1,600% 넘는 급등세를 보여주었다. 2020년 12월 마지막 날의 종가가 124,000원이었다. 그러나 2023년 8월 기준 주가는 최고가에서 85%나 하락한 16,990원에 그친다. 전대미문의 재앙이라 불린 코로나의 종식이 선언되자 상황은 완전히 바뀌었고 포스트 코로나 시대로 접어들었다. 사회도 안정되었다. 벌써 코로나 이슈는 사람들 머릿속에서 조금씩 잊혀가는 중이다. 이 말은 코로나 관련 주식도 투자자 관심에서 사라져 간다는 의미다. 이 책의 독자들도 코로나 시절 뜨겁게 상승한 종목에 대한 기억이 가물가물할 것이다.

투자자의 관심에서 벗어난 테마와 일반 주식의 말로는 어떨까? 대부분 상승분을 반납한 후 원래 가격으로 되돌아가기가 일쑤다. 그 시절 큰 상승을 보여준 종목일수록 더 그렇다. 이는 모든 주식에 해당한다. 유행은 길지 않다. 그리고 새로운 이슈가 새롭게 나타나 시장의 주목을 받는다. 주식은 그래서 세상의 축소판이라 부를 만하다. 우리는 크게 상승한 종목, 철 지난 종목(이슈나 유행이 지난 종목)에 절대로 미련을 가질 필요가 없다. 기회는 다시 찾아오게 마련이다.

Chapter 4

단기투자의 위험성(RISK)

실전투자대회에 참가해 6회 이상 수상한 필자도 여전히 단기투자가 어렵다. 단기투자든 중장기투자든 상관없이 수익을 내는 일에는 자신 있지만, 단기투자는 특히나 더 고도의 집중력과 빠른 판단이 필요하다. 조금만 방심해도 수익을 만들기가 힘들다. 특히 단기투자에서는 변동성이 변수다. 대응이 빨라야 한다. 주식 가격은 변동성이 크기 때문에 내가 보유한 주식이 상승해도 쉽게 안심할 수 없는 이유다. 시장은 늘 새로운 뉴스가 반영되어 급등락하는 종목이 나타난다. 이 말은 매일 매수의 기회가 생기는 것만큼이나 상대적으로 위험도 함께 동반된다는 의미다.

이제 단기투자에서 주의해야 할 몇 가지 위험(Risk)을 좀 더 자세히 살펴보도록 하겠다.

1. 급등주와 급락주의 위험(RISK)

주식가격은 '수요와 공급의 법칙'에 따라 매수세가 매도세보다 강할 때 상승한다. 이 내용을 모르는 분은 없을 줄로 안다. 앞에서도 언급했지만, 호재성 이슈나 정보를 가장 먼저 접한 사람이 주식을 매수하고, 이 정보가 SNS 등으로 전파되어 추가로 매수세가 유입되면 주가가 급등세를 보인다. 그리고 반대의 경우에는 하락이나 급락세를 나타낸다. 시장이 특정 섹터에서 과열 현상을 보일 때 틀림없이 나타나는 모습이 '가짜 뉴스 주의보'다. 가짜 뉴스나 확인이 안 된 뉴스로 인해 주가가 급등할 때가 종종 있다. 그리고 해당 기업에서 부인(否認)공시가 나오면 주가가 급락함으로써 단기 투자자가 벼락을 맞는 사례가 흔하다. 이는 중장기투자에서는 볼 수 없는 단기투자의 특징이며 단기투자자가 간혹 경험하는 매우 큰 위험이기도 하다.

호가창을 계속 들여다보며 대응하기가 여의치 않은 직장인 투자자는 가짜 뉴스와 관련 이슈가 모두 마무리된 후, 그러니까 주가가 모두 떨어진 상태에서 사실 여부를 확인하기 때문에 이런 일을 당할 확률이 낮다. 시장이 불안한 장세에서는 장 초반에 급등했다가(약 20% 이상 상승) 온종일 천천히 하락하는 주식도 제법 있다. 따라서 확실한 재료가 확인되지 않았다면 20% 이상 크게 오른 종목은 추격매수를 하지 않는 것이 좋다.

참고로, 종가가 하루 중(일중) 최저가를 기록한 종목은 온종일 매수, 매도에 나선 모든 단기투자자가 손해를 보기도 한다. 필자 경험상 대부분 그랬다. 시장 전체 분위기가 하락 또는 횡보장일 때 나타나는데, 종가가 일중 최저가를 기록한 종목은 그날 하루 해당 종목을 매매한 대부분의 참여자가 손해를 본다. 수익을 내보겠다고 온종일 열심히 일한 노력이 헛된 수고가 되는 것이다.

2. 시장 상황(흐름)을 꼭 확인하자

큰 범위에서 볼 때 '지수를 이기는 종목은 없다'고 강조했다. 이 말도 필자가 경험으로 깨달아 대중에 널리 전한 이야기 중 하나다. 주식투자를 오랫동안 해오며 느낀 투자 철학 중 하나라고 감히 말할 수 있다. 시장이 크게 하락하거나 폭락하는 장에서도 몇몇 종목은 급등하기도 한다. 그러나 실제로 급등하는 종목을 매수해 수익으로 연결하기란 확률이 너무 낮다. 시장이 불안하고 하락하는 장에서는 단기매매도 보수적으로 접근해야만 한다. 거꾸로 시장이 우호적이며 지수가 우상향하는 모습이라면 공격적인 단기매매에 나설 필요가 있다. 시장 흐름에 부합한 매수 종목 선정은 아무리 강조해도 지나친 말이 아니다.

다시, 코로나 대유행 시절의 이야기를 예로 들겠다. 당시에는 진단키트나 치료제를 만드는 기업에 집중해서 단기매매를 해야 했다. 2023년 초 시장의 관심사로 떠올라 시장 흐름을 주도한 챗GPT 관련주도 마찬가지다. 시세를 내줄 때 연관성이 큰 종목으로 대응해야 수익이 날 수 있었다. 한편, 단기투자라고 항상 투자해야 한다는 생각도 고정관념이다. 버려야 한다. 아무리 단기투자라도 시장이 우호적이지 않다면 쉬어가는 것이 좋다. 상황이 안 좋아도 공격적인 단기투자에 나섬으로써 엄청난 손실을 본 투자자를 무수히 많이 목격했다.

다시 강조한다. 항상 시장을 예의주시해 살피고, 현재의 시장 상황이 우호적인지 여의치 않은지, 또 시장을 이끌어가는 시대 중심 이슈가 무엇인지 파악하자. 이를 알아야 단기투자로 큰 수익을 낼 수 있다. 말과 설명은 쉬워도, 이를 머릿속에 기억하고 투자해서 수익으로 연결하는 분은 생각보다 극소수다.

단기투자에서 한두 번 실패하면, 투자금의 절반가량이 쉽게 사라질 수도 있다. 더 안타까운 건 원금을 회복할 실력을 갖춘 분들이 생각보다 적다는 점이다. 그래서 단기투자는 소액으로 조금씩 투자하며 경험을 쌓는 일이 꼭 필요하다. 주변 사람들이 모두 주식을 한다는 말만 듣고 섣불리 단기투자에 나서면 안 된다. 만약 그런 생각을 가졌다면 신중히 고민해보기 바란다. 현실적, 상황적으로는 대부분 단기투자부터 시작하겠지만 실력을 갖추기 전까지는 단기투자를 하지 않는 것이 오히려 자산을 지키는 일이 될 수도 있다.

3. 관심을 가지면 안 되는 종목

아래의 내용은 단기투자를 할 때 가까이해도 안 되고, 절대 관심을 가져서는 안 될 종목들이다. 내용이 반복되기도 할 텐데 그만큼 중요하다는 의미니까 널리 이해해주시기 바란다.

단기투자에서 관심을 갖지 말아야 하는 종목 리스트를 정리해 여러분과 공유한다. 이를 숙지해 투자에 참고하면 될 것 같다.

1) 전환사채(CB), 신주인수권부사채(BW) 발행이 많은 종목은 피한다(자세한 내용은 '부자가 되는 투자 상식 ⑧'을 참고하라).

2) 유상증자를 발표한 기업도 단기매매 관심 종목에서 배제한다 (다만, 유상증자가 투자에 도움이 되는 방향으로 사용된다면, 즉 공장 신축, 시설 확대 등의 목적으로 유상증자를 한다면 단기적으로는 악재, 장기적으로는 호재로 작용한다).

---

* 2023년 5월 10일에 벌어진 대표적인 사례가 '이화전기그룹'과 '제일바이오'다. 두 기업은 공통적으로 전·현직 임직원의 횡령배임이 사실로 드러나 거래가 정지되고 상장적격성 실질심사 대상으로 전락했다. 이화전기그룹(이트론, 이화전기, 이아이디, 이큐셀)은 2차전지 관련업을 영위해온 자회사 이큐셀과 케이아이티 덕분에 모든 그룹이 2차전지 기업으로 편입되는 호재에 힘입어 그룹 내 모든 계열사의 주가가 크게 오르기도 했다. 그러던 중 시장에 이트론 전현직 임원의 횡령배임 소식이 전해졌고, 이트론은 부인공시를 내며 혐의를 인정하지 않았다. 그러나 이트론의 업무집행 지시자의 대규모 횡령배임이 사실로 드러나 2023년 5월 12일 거래정지 및 상장적격 실질심사 대상이 되었다. 아울러 그룹 내 다른 회사들인 이화전기, 이아이디 역시 횡령배임으로 거래정지와 상장적격 실질심사 대상으로 넘어가 2차전지를 믿고 투자한 분들에게 큰 피해만 안겨 주었다. 한편, 동물의약품으로 유명한 제일바이오는 2세 경영에 돌입하며 가족 간 경영권 분쟁이 격화되었는데, 이 와중에 전 임직원들의 횡령배임 공시가 연이어 세 차례나 시장에 알려졌고, 2023년 7월 20자로 거래정지 및 상장적격 실질심사 대상이 되었다. 이런 사례가 생각보다 많다. 횡령이나 배임 구설이 있는 종목은 반드시 피해야 상책이다. 부인공시가 있더라도 그 내용을 다 믿을 수 없다. 혹시 괜찮겠지 마음 놓고 있다가 회복할 수 없는 큰 손실을 경험하고 후회해 봐야 소용없다. 소 잃고 외양간을 고쳐봤자 집 나간 소는 절대 돌아오지 않는다.

3) 무늬만 유망 섹터(2차전지, 반도체, 챗GPT 신규 진출 등)에 포함된 종목도 배제한다. 심지어 기업의 정관만 바꾸었을 뿐인데도 연속 상한가까지 가는 종목이 있었다. 투기적인 일시적 현상이다.

4) 전·현직 대표나 경영진의 횡령, 배임 등의 구설이 있는 종목은 피한다.*

5) 뚜렷한 이유나 정보도 없는데 하락하는 종목(이른바, 상폐각에 해당하는 종목. 내부 정보로 매도)은 피한다. 이런 주식의 차트는 우하향 역배열 모습이다.

부자가 되는 주식투자 상식 ⑨

기업의 미상환 CB와 BW를 확인하는 방법

주식투자를 할 때 투자 대상 기업이 너무나 많은 CB와 BW를 보유하고 있다면 주의가 필요하다. 그 이유는 이런 사채들은 일정 기간 이후 주식으로 전환할 수 있어 잠재적 매도 물량으로 주가 상승에 제한을 주기 때문이다. 이런 신주가 주식으로 전환되어 시장에 나오면 기존 주주의 주식 가치가 희석된다.

CB와 BW는 기업이 건전한 운영을 위해 합리적으로 발행하고 그

자금이 정당하게 사업 활동에만 쓰인다면 기업도 주주도 윈윈할 수 있다. 하지만 실상은 그렇지 않다. 기업의 여건이 어려워져 남발하는 일이 더 많다. 은행에서 자금을 조달하자니 이자가 부담스럽고 대출도 까다롭다. 그래서 기업은 손쉬운 자금조달 방법인 CB 또는 BW 발행의 유혹에 빠지곤 한다. 특히 기업이 많은 CB나 BW를 보유했다면 해당 채권들이 언제든 전환 가능한 상황임을 기억하고 주의하자. CB 또는 BW가 주식으로 전환되는 시기는 주가가 전환 가격보다 높을 때이며 대부분 단기투자 시 주가가 급등할 때 갑자기 전환하는 경우가 많다. 따라서 단기투자에서는 주가 급등으로 갑작스럽게 대규모 CB나 BW 전환공시 악재를 맞는 일이 없도록 각별한 주의가 필요하다. 다음은 기업의 미상환 CB와 BW를 확인하는 방법이다.

1. 금융감독원 전자공시 시스템에 접속 후 공시통합검색 항목을 찾는다(https://dart.fss.or.kr/dsab007/main.do?option=corp).

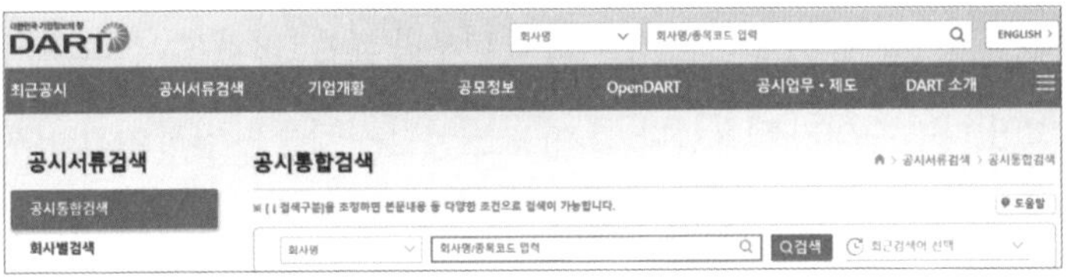

2. 공시통합검색 난에 회사명이나 종목코드를 입력한다. 이때 종목코드를 입력하는 것이 한결 편하다.

3. 가장 최근에 나온 분기, 반기 또는 사업보고서를 클릭한다.

4. 좌측 문서 목차 항목 중 'III 재무에 관한 사항' 아래에 나열된 문서 '7번 증권의 발행을 통한 자금조달'을 클릭한다.

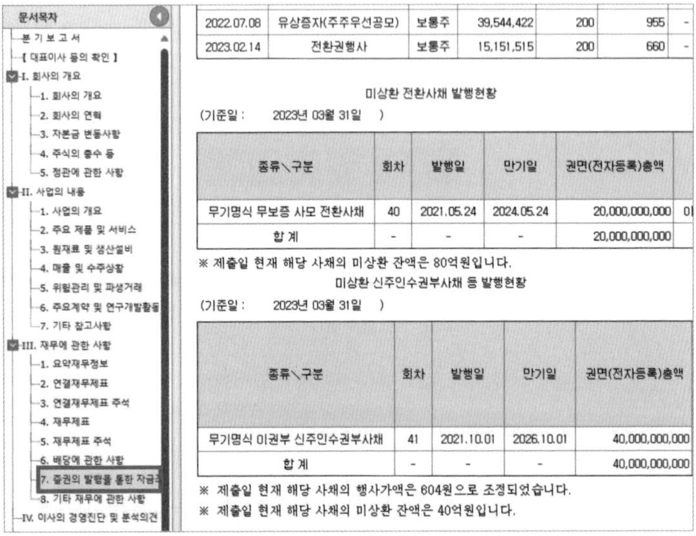

문서목차

분 기 보 고 서
【 대표이사 등의 확인 】
I. 회사의 개요
1. 회사의 개요
2. 회사의 연혁
3. 자본금 변동사항
4. 주식의 총수 등
5. 정관에 관한 사항
II. 사업의 내용
1. 사업의 개요
2. 주요 제품 및 서비스
3. 원재료 및 생산설비
4. 매출 및 수주상황
5. 위험관리 및 파생거래
6. 주요계약 및 연구개발활동
7. 기타 참고사항
III. 재무에 관한 사항
1. 요약재무정보
2. 연결재무제표
3. 연결재무제표 주석
4. 재무제표
5. 재무제표 주석
6. 배당에 관한 사항
7. 증권의 발행을 통한 자금조
8. 기타 재무에 관한 사항
IV. 이사의 경영진단 및 분석의견

2022.07.08	유상증자(주주우선공모)	보통주	39,544,422	200	955	-
2023.02.14	전환권행사	보통주	15,151,515	200	660	-

미상환 전환사채 발행현황

(기준일 : 2023년 03월 31일)

종류＼구분	회차	발행일	만기일	권면(전자등록)총액	
무기명식 무보증 사모 전환사채	40	2021.05.24	2024.05.24	20,000,000,000	이
합 계	-	-	-	20,000,000,000	

※ 제출일 현재 해당 사채의 미상환 잔액은 80억원입니다.

미상환 신주인수권부사채 등 발행현황

(기준일 : 2023년 03월 31일)

종류＼구분	회차	발행일	만기일	권면(전자등록)총액
무기명식 이권부 신주인수권부사채	41	2021.10.01	2026.10.01	40,000,000,000
합 계	-	-	-	40,000,000,000

※ 제출일 현재 해당 사채의 행사가액은 604원으로 조정되었습니다.

※ 제출일 현재 해당 사채의 미상환 잔액은 40억원입니다.

5. 사례 자료에서 보듯 미상환 전환사채 발행 현황과 미상환 신주인수권부사채 등 발행 현황 내용이 나와 있다.

사례로 든 이 기업은 406억 원의 미상환 전환사채와 약 7억 5,000만 원의 미상환 신주인수권부사채를 보유하고 있다. 미상환 전환사채의 경우 406억 원의 전환 가능 주식은 무려 1,700만 주에 이른다. 더 중요한 건 해당 전환청구 가능 기간이다. 이 기업은 해당 전환사채를 언제든 전환이 가능하다. 미상환 신주인수권부사채 역시 약 380만 주의 물량이 행사가능 기간이기 때문에 이 역시 주가가 오르면 언제든 전환이 가능하다. 따라서 주가가 전환가액과 행사가액 이상 오르면 이 사채들은 언제든 주식으로 바뀌어 출회될 위험이 있음을 꼭 명심해야 한다.

Chapter 5

테마주(관련주)
투자

국내외적으로 큰 영향을 미치는 이슈, 사건에 따라 산업의 특정 섹터와 연관 종목 군에서 무리 지어 상승하는 현상을 테마주(또는 관련주)라고 부른다. 주식시장에는 무수히 많은 테마주(관련주)가 나타났다가 사라졌고, 하루도 조용할 날 없는 글로벌 주식시장에서는 앞으로도 새로운 이슈의 관련주(테마주)가 나타나고 또 사라질 것이다. 반복되는 상황인 만큼 공부해서 잘 익혀두면 투자에 유용하게 활용할 수 있다. 테마주(관련주) 투자 이야기는 별도의 'PART'로 정리할 수도 있지만, 책에서 보듯 단기투자의 한 꼭지로 포함해 간략히 정리한다. 테마주 투자의 종목 선정이나 매매법도 단기투자와 많은 부분 겹친다. 주식투자라는 행위 자체가 크게 다르거나 변하는 건 아니다.

참고로 테마주(관련주)는 일회성 테마와 중장기 테마로 구분할 수도 있다. 국내의 영화가 국제 영화제에서 대상을 받았다거나, 중국의 요소수 수출 금지, 일본 후쿠시마 오염수 방류 소식 같은 일은 단기성, 일회성 테마다. 중장기 테마는 5년마다 치루는 대선, 과거의 남북경협, 대선 이후의 정책 등이 대표적이다.

1. 테마주(관련주)의 유형

1) 국내 이슈 테마

대선 테마*, 정책 테마주가 대체로 가장 길고 오래 가곤 한다. 유력한 대선후보가 있는 경우에는 대선을 치르기 2~3년 전부터 해당 종목이 상승세를 보여주고 정책 테마주(관련주)는 대선 당선 발표 이후에도 급등세를 보여주기도 한다. 그 밖에 기후, 계절(폭염, 태풍

* PART 5 '이슈와 테마에 의한 시장 중심주(대선 테마주)'를 참고하기 바란다.

부자가 되는 주식투자 상식 ⑩

중장기 테마의 구분

투자자들은 어떤 테마가 단기로 끝날지 중장기로 계속 이어질지 판단하는 데 어려움을 겪기도 한다. 이런 어려움은 상식적으로 판단하면 될 것 같다. 가령 대선 테마주는 본문에서 밝혔듯 대선 2~3년 전부터 움직이곤 한다. 따라서 대선 테마주는 재료와 이슈가 오랫동안 지속되는 대표적인 중장기 테마주다. 그리고 단기성 테마주는 대체로 보름(15일)을 넘기지 않는다. 즉 1~2주 안에 주가를 끌어올린 테마 이슈가 소멸한다. 정책 테마주는 이슈가 1개월 이상 가는 일이 흔하다. 단기간에 주가가 100% 오르는 일이 많다.

중장기로 진행되는 테마주는 너무 일찍 매도하면 수익률을 극대화할 수 없다. 코로나가 진행되던 시기에는 씨젠, 휴마시스 등의 진단키트 관련주와 신풍제약 등 일부 코로나 치료제 관련주에서 무려 10배(1,000%) 이상 상승한 종목이 여럿 출현했다. 예를 들어 씨젠은 평소 2만 5,000원대 주가에서 코로나가 가장 극성을 부린 시기 32만 원대까지 가파르게 상승했다. 같은 진단키트 관련주 휴마시스는 1,500원대에서 2만 5,000원대까지 무려 15배 상승했다. 코로나 치료제 개발에 뛰어든 신풍제약의 주가를 살펴보면 평소 1만 원 초반대에서 머물던 주가가 22만 원대까지 올랐으니 상승 해당 종목을 일찍 매수해서 초중반에 매도한 투자자는 엄청난 추가 수익을 얻지 못했다.

등 관련주) 테마주, 질병(구제역, 돼지 열병, 원숭이 두창 등) 테마주 등이 국내 이슈 테마주다.

2) 글로벌 이슈 테마

세계적으로 큰 이슈나 사건이 발생하면 그와 관련 있는 국내 상장 기업 군에서 테마를 형성하는 현상이다. 우크라이나-러시아 전쟁 테마주, 사우디아라비아 네옴시티 관련주*, 미국 대선 테마주, 글로벌 기업의 실적 관련주(테슬라, 애플, 앤비디아) 등이 대표적이다.

2. 테마주(관련주) 매매법

테마주의 유형에 따라 매수하는 방법과 매도법이 조금 다르다. 테마주 매매의 기본은 이슈가 발생하는 초기에 매수하고 테마 이슈가 소멸하기 전 매도하는 것이 원칙이다. 당연히 테마주 투자는 철저히 대장주와 1등주 위주로 매수해야 한다. 테마주 대상 종목 매수는 테마 이슈와 직접 연관이 있는지를 확인하는 일이

* 사우디아라비아가 추진 중인 총사업비 5,000억 달러(670조 원) 규모의 대형 신도시 건설 프로젝트다. 전 세계는 제2의 중동 붐을 기대하며 이 사업을 예의주시하고 있다. 네옴 시티는 뜨거운 사막 위에 길이 170킬로미터, 너비 200미터 크기의 도시를 건설하겠다는 엄청난 계획이다. 석유 의존도가 높은 사우디아라비아 경제를 바꾸어보겠다는 사우디의 실권자 무함마드 빈 살만 왕세자의 야심이 과연 성공할 수 있을지 귀추가 주목된다. 우리나라 주요 기업이 이 프로젝트에 참여하기 위한 물밑 작업 진행 중이라는 뉴스가 종종 흘러나온다.

포인트다. 코로나 테마 또는 대선 테마주처럼 길고 오래 가는 테마주는 초기에 대량 거래량에 힘입어 급등세를 보이는 종목이 대부분 해당 테마주의 대장주, 1등주다. 그런데 길고 오래 진행되는 테마주(관련주)는 대장주가 바뀌는 일이 흔하다. 일반적으로 테마주는 대장주, 1등주가 상승세를 멈추고 하락하면 2등주나 3등주가 급락하게 마련이다.

참고로 일회성이거나 단기 테마주는 대응하기가 매우 힘들다. 따라서 되도록 무시하는 것이 좋다. 대표적인 사례가 2021년에 발생한 요소수 사태다. 요소수 테마는 반짝 이슈로 그쳐 고작 며칠 만에 투자자의 관심 밖으로 사라진 테마 사례다. 그리고 2023년 6월, 후쿠시마 오염수 방류 걱정에 힘입어 며칠 동안 테마주로 급등했던 소금 관련주 인산가(277410)를 여러분도 기억할 것이다.

인산가 주가는 2023년 6월 처음 오염수 방류 이슈로 급등했다가 이슈가 잠잠해진 기간에는 원래 가격으로 회귀했고, 2023년 8월 중순 실제 오염수 방류 2주 전부터 재차 상승하기 시작해서 직전 고점까지 올랐다가 방류 다음 날 별다른 피해가 없다는 뉴스에 다시 급락했다. 그리고 원래 상승하기 전 가격대로 내려갔다.

주식시장에서 나타나는 테마주(관련주) 현상은 시간이 지나 세상이 바뀌어도 종목 군만 달라질 뿐 계속 발생한다. 따라서 '인산가' 차트 하나만 숙지하면 테마주 투자에 큰 도움이 될 것 같다. 저

| 인산가 주가 흐름 |

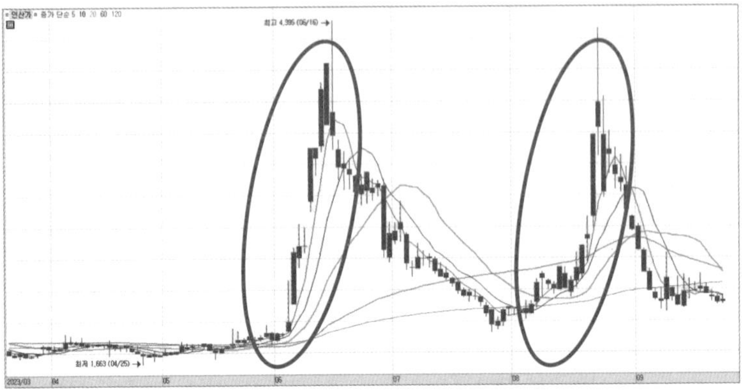

점매수, 고점매도만 기억하고 있다면 앞으로도 얼마든지 큰 수익을 낼 수 있다.

챗GPT 관련 테마주의 경우 비교적 긴 기간인 10거래일, 30거래일 정도 진행되었다. 테마주 매매는 앞서 설명한 단기매매 투자 방법을 활용하여 매수, 매도하면 된다. 그리고 코로나 테마나 대선 테마주처럼 중장기로 진행되는 테마주는 중장기투자 매매법을 활용하면 된다. 어차피 주식을 매매하는 일은 같은 행위다. 테마주 매매라고 특별한 방법이나 비결이 따로 있는 건 아니다. 즉, 단기 테마는 단기매매법을 활용하면 되고, 이슈가 더 길게 이어지는 중장기 테마는 중장기 매매법을 활용하면 된다. 테마주 투자라도 경우에 따라 결국 단기매매, 중장기 매매법을 적용하는 것이다.

테마주(관련주)는 큰 상승세를 보이다가도 대주주를 비롯한 회사 주요 관계자의 매도 물량이 시장에 출회되거나, 그간 상승을 이끈 테마와 이슈가 희석 또는 소멸하면 급락세로 전환한다. 모든 주식투자에서와 마찬가지로 주가가 바닥과 비교하여 고점으로 상승했다면 절대 추격매수를 하면 안 된다. 따라서 해당 종목을 보유한 투자자라면 일부 수익 실현 후 매도하거나 시장 상황을 예의주시하며 급락 리스크에 대비해야 한다.

테마주에는 일반적으로 투기세력이 많이 몰린다. 일반 투자자가 테마주를 접한 후 매수하려는데 가격이 높다면 이미 주가가 많이 상승한 상태다. 신중히 접근해야 한다. 만약 테마 이슈 초기나 중기에 매수했다면, 해당 테마의 이슈와 뉴스가 끝나기 전에 매도하고 나와야 한다. 매도 시에도 고도의 집중력이 필요하다.

3. 테마주 화무십일홍(花無十日紅), 주식(株式) 무상(無常)

중국 남송 시대 양만리(楊萬里)가 지은 시 〈납전월계(臘前月季)〉 첫 구절에 나오는 말이다. '열흘 붉은 꽃은 없다'라는 유명한 이야기를 여러분도 한번쯤은 들어봤을 것이다. 필자가 2014년 삼성증권 실전투자대회 1억 클럽에서 1등 수상을 한 후 〈매일경제신문〉과 인터뷰를 하며 사용한 제목이기도 하다. 주식시장에서 상승세가 무한정 오래 가는 주식이 절대 없다는 뜻으로 시의 구절을 인용한 기억이 난다.

특정 섹터의 관련 테마주가 급등세를 보이면 돈 쏠림 현상으로 주가가 연이어 상승하고 일반 투자자 대부분 흥분하기 쉽다. 실제로 경험이 많고 단기매매가 뛰어난 투자자에게 강력한 상승세를 보이는 테마주가 나타나면 돈을 벌기 쉬운 것이 사실이다. 오죽하면 대선 테마주가 극성을 부릴 때 일부 투자자 중 '대선이 자주 있었으면 좋겠다'는 이야기가 회자되겠는가! 분위기를 타고 끝없이 상승할 것 같은 테마주가 시들해져 하락하기 시작하면 해당 주식은 화려한 꽃이 비 맞아 시든 꽃, 철 지난 해수욕장처럼 쓸쓸한 모습으로 바뀌게 마련이다. 고점에서 매도하지 못했거나 가격이 높을 때 신규로 매수한 투자자는 망연자실하며 주식 무상을 느끼기도 한다.

테마주(관련주)는 주식시장에 늘 불현듯 나타났다가 사막의 신기루처럼 사라지는 투기적인 현상이다. 이 현상을 투자자의 자산을 불리는 절호의 기회로 삼을지 아니면 큰 투자 손실의 빌미가 될지는 오로지 투자자의 선택이고 투자자 자신의 몫이라는 생각이 든다.

BUY
SELL

A PROFITABLE

PART 5

대 시세(큰 시세차익)를 만드는 주식투자

STOCK INVESTMENT

Intro

주식투자로 부자가 되어보자

아이가 세상에 태어나 첫돌이 돌아오면, 가정에서는 돌잔치를 벌인다. 돌잔치의 하이라이트는 당연히 '돌잡이' 이벤트다. 돌잡이는 재미로 하는 유쾌한 행사다. 하지만 아이 앞에 놓인 여러 가지 물건 중에서 아이가 돈을 잡으면 부모뿐 아니라 모든 사람이 유독 더 즐거워하고 행복한 웃음을 짓는다. 아이는 아무것도 모르지만, 세상을 어느 정도 살아본 아이 부모와 사람들은 안다. 살아보니 돈이 가장 중요하다는 사실을…

필자는 복권 당첨의 꿈을 가져본 적이 없다. 확률상 거의 불가능에 가까운 복권 당첨의 행운이 나에게까지 올 거란 생각을 해보지 않았기 때문이다. 대신에 시간이 좀 걸리더라도 주식투자로 로또 1등 당첨금보다 더 많은 돈을 벌 수 있다는 자신감이 늘 마음속에 있다.

주식투자자에게 로또 당첨에 버금가는 행운, 대(大) 시세를 내는 종목 매수로 그 꿈을 이룰 수 있다. 로또 당첨의 행운이 복권을 구매한 모든 이에게 찾아가지 않듯 주식투자를 하는 모든 사람이 큰 돈을 벌 수 있는 것도 아니다. 공부와 준비가 필요하다. 충분히 준비된 사람에게 대 시세의 기회가 눈에 보인다. 대 시세를 내줄 해당 종목을 매수해서 길게 보유함으로써 큰 수익이라는 행운을 나의 것으로 만들 수 있다. 주식투자는 800만 분의 1이라는 복권 당첨의 행운과 다르다. 준비하고 기다리는 사람에게 대 시세의 행운이 찾아간다. 뜬구름 잡는 꿈이 아니다.

여담이지만, 필자가 지금껏 주식투자를 해온 이유가 무엇인지 곰곰이 생각했다. 단순히 돈을 벌고 경제 활동을 하기 위한 방편으로 전업투자를 시작했지만 '슈퍼개미'가 된 이후에도 대 시세를 내는 종목을 여러 번 놓쳤다. 그래서 다시 기회가 오면 반드시 큰 수익을 내겠다는 다짐으로 투자를 계속하는 것이라고 생각한다. 'PART 5'에서는 대 시세를 내는 종목의 유형, 대 시세를 내는 종목의 매매법을 간략히 소개한다.

Chapter 1

대 시세를 내는 종목의 유형

주식시장에서는 정형화되거나 표준화된 기준이 없다. 얼마 이상 상승하고 몇 퍼센트가 올라야 대 시세를 내는 종목에 포함한다는 기준도 없다. 단기간에 100% 이상 상승해도 대 시세, 중장기투자로 500~1,000% 상승해도 대 시세를 냈다고 말한다. 물론 이 기준은 오로지 필자의 견해다. 경험이 제법 있는 투자자라도 대 시세를 내주는 종목을 매수해 큰 수익을 내본 경험이 없다면 반성의 기회로 삼고, 주식투자 경험이 부족한 투자자라면 앞으로 다가올 대 시세 종목을 매수해 부자가 되는, 기다림의 과정으로 생각하면 좋을 것 같다. 그런 마음으로 글을 썼다.

1. 새로운 시대의 선봉, 시대 중심주(신세대 산업혁명)

아쉬운 대목이지만, 필자도 대 시세를 내는 종목을 매수해 큰 수익을 내본 경험이 많지 않다. 그저 수많은 투자로 수익을 낸 결과에 불과하다. 지나고 살펴보니 'A 종목, B 종목이 대 시세를 만들었구나!' 하고 느낄 때가 많았다. 이에 스스로 반성하는 마음으로 대 시세를 내는 종목을 찾고자 노력한다. 어쩌면 이런 노력이 '희망 고문'이고, '오아시스'를 찾는 일일 수도 있겠다. 따라서 지금부터 하는 이야기는 여러분에게 투자 조언을 해준다기보다 필자가 느끼는 아쉬움을 잊지 않고 되새기고자 남기는 일종의 반성문이자 기록에 가깝다. 아무튼, 시대정신을 반영한 시대 중심주가 대 시세를 만드는 후보들이다. 여기서 잠시 지난 역사를 되돌아보도록 하자.

인터넷 혁명이라고 불린 3차 산업혁명 시대가 열리자 인류는 실생활 여러 분야에서 큰 변화를 경험해야 했다. 인터넷과 컴퓨터 산업의 확산은 관련 산업의 폭발적인 성장뿐 아니라 상장된 기업의 주가를 크게 끌어올려 고속 성장을 일구어냈다. 미국 주식시장에서는 마이크로소프트(MS)와 구글이 대표적이다. 우리나라에서는 네이버, 카카오, 앤씨소프트 등이 수혜를 입은 대표적인 기업이다.

시절이 바뀌어 우리는 4차 산업혁명의 시대를 살아가는 중이다. 시대 중심은 '반도체'다. 2023년 오픈 AI가 개발한 챗GPT의 글로벌 시장 확산으로 반도체 수요가 기하급수적으로 늘어나는 형국이다. 대한민국을 넘어 글로벌 반도체 기업으로 자리매김한 삼성전자의 주가는 그간 얼마나 올랐을까? 함께 살펴보자. 1997년 당시 삼성전자의 평균 주가는 35,000원대였다(당시 액면가 5,000원). 그리고 2023년 현재 액면가는 100원으로, 환산하면 600~700원 수준이다. 현재 삼성전자 주가가 70,000만 원대라고 한다면 100배 상승한 것이다. 그동안 삼성전자가 지급한 배당금을 제외하고도 삼성전자 주가는 25년간 쉬지 않고 100배 수직상승했다. 삼성전자는 우리나라 대표기업이자 세계적으로 성장한 기업이기에 가능한 일이기도 하다. 그리고 장기투자에 적합한 대표적인 기업이기도 하다.

2. 산업 변환에 따른 섹터 중심주

스마트폰과 태블릿의 등장은 사람들의 삶이 크게 바꾸어놓았다. 책상 위 데스크톱 PC나 노트북 대신 모바일을 더 많이 사용하는 현실이다. 컴퓨터와 모바일 산업에 큰 변화가 생긴 것이다. 산업의 변화는 섹터(Sector)의 변화를 만들어내기도 한다. 투자는 눈에 안 보이는 두 가지 중요한 요소가 수반되는 일이다. 바로 '시간' 레버리지와 '베팅'이라는 결단성이 동반된다. 이 두 가지가 수익을 만드는 데 중요한 역할을 한다. 그런데 이보다 더 관심을 가지고 지켜봐야 할 것이 있다. 바로 산업 변환에 따른 섹터 파악, 그 섹터 안에서 중심주 찾기다.

어떤 기업을 골라 오랜 시간 투자했더라도 그 기업이 속한 산업이 대중의 관심 밖이라면 시간 레버리지와 투자가 헛일이 되고 만다. 이 둘은 당연히 우리가 간과할 수 없는 투자 요소임이 분명하지만, 시대를 장악하고 이끄는 섹터를 파악하는 일이 더 중요하다고 하겠다. 컴퓨터와 모바일 산업의 변화는 주식시장에도 반영되어 관련 기업들이 크게 주목을 받았다. 대중의 관심을 받는 기업의 주가가 오르는 건 당연하다. 간략히 2개 기업의 주가를 살펴보겠다.

2014년 상반기 게임주 컴투스(078340)는 2만 원대 가격을 형성했으나 1년 만인 2015년 상반기 20만 원대까지 무려 10배가량 상승했다(1,000%). 통신주 케이앰더블유(032500)는 2019년 초 8,000원대 주가였는데, 당시 4G에서 5G로 통신망이 개편되면서 가장 큰 수혜를 입었다. 2019년 10월 무렵 이 주식은 8만 원대까지 올라, 역시 10배가량(1,000%) 상승했다. 사례처럼 큰 수익은 시대 흐름과 동조하는 섹터를 찾아 그 안에서 중심주에 투자할 때 기대할 수 있다. 한 번쯤 들어봤겠지만, 이른바 주식투자 전문가들은 주식투자 수익의 70~80%가 섹터 선정에서 나온다고 강조한다. 필자 역시 그 말에 동의하는 바다.

3. 내연기관 자동차에서 전기차 시대로

자동차가 현대 사회의 핵심 산업 분야 중 하나라고 평가받는 일은 주지의 사실이다. 자동차의 동력 엔진이 내연기관에서 배터리 전기차로의 전환은 인류사적 대변화라는 평가를 받을 만하다. 전기차 출현은 기존에 없던 2차전지, 배터리 산업의 호황을 불러왔다. 그렇다면 전기차 시대의 막을 연 테슬라의 주가는 어떤 흐름을 보여주었을까?

글로벌 1등 전기차 기업 테슬라는 2010년 6월 29일 미국 나스닥에 상장되었다. 희망 공모 가격 14~16달러보다 높은 17달러에 처음 상장되었고, 상장 첫날 주가는 41% 급등한 23.89달러로 마감했다. 전기차 보급률이 높아져 대중화됨에 따라 테슬라는 상장한 지 10년이 조금 지난 2020년 8월 20일의 주가는 종가 기준 2,000달러를 돌파하며 마감했다. 주가의 지속적인 상승으로 1주당 주가가 너무 상승하자 '2020년 8월 5:1', '2022년 8월 3:1' 두 차례 액면분할을 시행했다. 이후 등락을 거듭하다가 2023년 9월 초순 기준 주당 270달러가 넘는 가격을 형성했다. 우주여행에 관심이 많은 것으로 알려진 일론 머스크는 세계 최고의 부자로 등극했다.* 만약 2010년 처음 나스닥에 상장된 테슬라 주식을 20달러에 매수한 투자자라면, 13년 만에 150배 이상의 투자 이익을 거두었을 것이다.

국내 주식시장에서는 에코프로(086520)를 빼놓을 수 없다(137쪽 '에코프로 일봉 차트' 참고). 2023년 내내 코스닥 시장지수를 상승견인한 주인공이다. 에코프로는 2023년 1월 초 11만 원대 주가에서 7월 하순 장중 150만 원을 넘어서기도 했다. 7개월 만에 대략

---

* 일론 머스크는 인류사 최초로 3,000만 달러(약 400조 원)를 보유한 사람이라는 기록을 인정받아 기네스북에 오르기도 했다. 2023년 대한민국 예산 640조 원과 비교하면 얼마나 많은 돈인지 감이 올 것이다. 정말 어마어마한 돈이다. 물론 2021~2022년을 거치며 주가가 하락해 3,000만 달러 보유 기록이 깨졌지만 그래도 일론 머스크의 자산은 170조 원 안팎일 것으로 추정한다. 전기차 성공 신화가 그를 부의 반열에 올려놓았다.

| 테슬라 주가 추이(2012~2023년) |

출처: Google Finance

1,400% 상승이라는 급등세를 보여주기도 했다. 또 다른 2차전지 기업 코스모화학(005420)과 코스모신소재(005070)는 2020년 3월 각각 4,000원, 5,000원 선에서 거래가 이루어졌으나 2023년 6월 기준 각각 6만 원(15배 상승), 24만 원(25배 상승)대까지 대 상승을 기록했다. 필자도 4,000원대에 코스모화학 주식을 매수한 기억이 난다. 아쉽게도 1만 원 초반에 모두 매도했다. 지나고 보니 대 시세를 낸 종목이었지만, 필자의 경우 2배 정도 수익률이라는 아쉬운 결과에 만족해야 했다.

투자자라면 누구나 이런 경험을 해보았을 것이다. 안타깝게도 늘 지나고 나서야 깨닫는 대 시세 내는 종목은 많은 아쉬움을 갖도록 한다. 그래도 실망하지 않고 시장이 반복된다는 사실을 믿기에 필자도 여러분도 심기일전하여 대 시세 내줄 종목 찾기에 나서야 한다.

금양(001570)도 흥미롭다. 결론부터 말하면, 금양은 1년 2개월 만에 30배 상승(2022년 5월 ~2023년 7월 하순)한 기업이다. 1976년 유가증권 시장(현 코스피)에 상장된 금양은 합성수지나 고무 제품 발포에 사용하는 발포제 생산 주력 기업이었다. 주력 생산품의 특성상 시장의 큰 관심을 끌지 못했고 오랜 기간 박스권에 주가가 머문 기업이었다. 그러다가 시대 흐름에 맞는 전기차 배터리 신사업과 연관되면서 주가에 탄력이 붙어 2022년 상반기 4,000원대 주가가 불과 6개월 만인 2022년 12월 초 4만 원까지 9배 상승했다. 이후 금양은 2023년 2차전지 쏠림 현상 영향과 2차전지 관련 신사업의 가시적인 진행 결과에 힘입어 2023년 7월 하순 장중 19만 원대까지 크게 치솟았다. 5,000원 가격 아래에서 매수해 10만 원대에 매도한 투자자는 거의 없겠지만, 1년 3개월 만에 30배(3,000%) 상승률을 기록한 주식을 눈으로 확인하고 있노라면 감탄이 터져 나올 수밖에 없다.

부자가 되는 주식투자 상식 ⑪

소득 증가에 따른 생활, 건강, 소비 변화도 시대 흐름이다!

사람들의 소득 증가는 생활, 건강, 소비에도 변화를 불러온다. 이 흐름도 놓치지 말고 예의주시해야 한다. 우리 삶 실생활에서 알게 모르게 진행되어 흘러가는 또 하나의 흐름이니까 그렇다.

생활, 건강, 소비 변화에 동조하여 수혜를 입은 기업도 종종 대 시세를 만들어낸다. 대표적인 기업이 오스템임플란트(048260)다. 이 기업은 2020년 3월 코로나 여파로 주식시장이 급락한 당시 주가가 2만 원대였다. 그런데 '임플란트 건강보험 적용'이라는 호재와 치과 치료의 변화(금니 사용의 감소 현상)에 따라 3년 만인 2023년 4월 무렵 주가가 19만 원대까지 폭등했다(800% 상승). 더 주목할 점은 오스템임플란트가 2021년 직원의 횡령 사건(2,215억 횡령)이 불거져 거래정지 사태까지 내몰리기도 했다는 점이다. 대형 악재에도 불구하고 국내 임플란트 시장에서의 독보적인 지위와 건강보험 적용 수혜에 힘입어 부정적인 일들을 모두 극복했다. 그리고 엄청난 주가 상승을 기록한 것이다.

주식시장에서는 영원한 호재도 없지만, 영원한 악재도 없다는 사실을 새삼 떠올리게 한다.

4. 이슈와 테마에 의한 시장 중심주

코로나 사태 초기에는 대응에 실패하며 무수히 많은 인명 피해가 발생하기도 했다. 또한 인적, 물적 교류가 멈추어 전 세계가 셧다운(Shutdown)되는 사상 초유의 일이 벌어졌다. 당연히 주가는 곤두박질쳤다. 그런데 크게 폭락하던 시장은 대규모 유동성 공급에 힘입어 급격히 상승하는 장으로 변했고, 주식시장에서는 코로나 관련 대급등 시세를 보여준 종목이 여럿 출현했다. 전대미문의 코로나가 3년 동안 진행되자 코로나 테마주도 여러 형태로 바뀌며 다양한 분야에서 대 시세를 보여준 종목들이 나타났다.

진단키트 업체 씨젠(096530)은 2020년 초 코로나 유행 전만 해도 15,000~2만 원 사이에서 주가가 횡보했다. 그러다가 코로나가 극성을 부린 2020년 8월 32만 원까지 상승했다. 6~7개월 사이에 10배(1,000%) 이상 오른 것이다(무상증자 100%). 또 다른 진단키트 업체 휴마시스(205470)도 코로나 수혜주로 떠올랐다. 코로나 발생 전 주가가 1,000원대에 머물렀으나 2020년 2월에는 25,000원대까지 올라 2년 만에 2,000% 이상의 대 시세를 보여주었다(무상증자 300%). 코로나 치료제 관련주 신풍제약(019570)도 주인공이었다. 코로나 발생 전후만 비교하면 단기간인 6~7개월 만에 주가 상승률 2,000%를 기록했다. 코로나 팬데믹은 세계적인 불행이었다. 그런 와중에도 수혜를 입은 기업이 존재했다. 관련 업종의 주식이 급등세를 보이는 건 주식시장이 투기적인 속성을 가졌다는 걸 증명하며, 이 현상은 시장에 늘 있는 일이다. 2023년 6월 세계보건기구(WHO)가 코로나 위기 경고를 하향 전환하고 마스크를 해제하여 일상으로 되돌아가면서 대 시세를 낸 코로나 수혜주의 주가는 코로나 발생 전의 과거로 회귀하는 중이다.

우리나라의 예견된 행사 가운데 가장 규모가 크고 전 국민이 관심을 두는 행사는 단연코 5년마다 치르는 '대통령선거'다. 새 대통령을 뽑는 일만큼 중요한 일이 또 있을까. 따라서 대선 테마주는 수십 년 전부터 대선 전후 2~3년간 테마가 되어 시장에 영향을 미쳐왔다. 일반적으로 대선 테마주는 크게 인맥주와 정책주로 나뉘어 시장에 등장한다. 돌이켜보면 과거에도 대선 테마주에서 500% 이상 급등 시세를 내는 종목이 무수히 많았다. 대운하 관련주, 남북경협 관련주 등 유력 대선 후보의 정책과 연관성이 큰 종목뿐 아니라, 어떤 기업의 대표가 대선 후보와 단순히 동문 또는 동향이라는 이유로 해당 기업의 주가가 급등하는 일도 흔하다. 최근의 예를 살펴보자. NE능률(053290)은 인맥주로, 20대 대선 전인 2022년 1월 2,000원대에서 2022년 6월 초 3만 원 초반까지 6개월간 10배(1,000%) 이상 급상승했다. 정책 관련주 한신기계(011700)는 대선이 끝난 직후 2022년 3월 4,000원대에서 불과 2개월 만에 14,000원대까지 올라 300% 이상 상승한 기록이 있다.

Chapter 2

대 시세를 만드는 종목 매매

CHAPTER 1에서 살펴본 바와 같이 '대 시세를 내는 종목의 유형'은 여러 가지다. 어떤 종목의 상승 초기에는 그 종목이 얼마나 더 오를지 알 수 없다. 어마어마한 대 시세를 내며 크게 오를 걸 안다면 누구나 큰 부자가 될 것이다. 어떤 주식이든 처음 상승할 때, 주가가 오르는 이유를 정확히 알고 파악해야 한다.

상승 이후에 뉴스가 합리적이고 타당한지 거래량이 많은지도 꼭 확인할 필요가 있다. 주가가 크게 오르는 이유가 대선 테마주(관련주)나 코로나 테마주처럼 이슈와 테마에 힘입은 것이라면, 테마주 매수 방법에서 소개한 것과 똑같은 방법으로 매수하면 된다.

1. 대 시세를 내는 종목의 초기 매수

새로운 시대가 열리면서 수혜를 입을 것이 확실한 시대 중심주, 그리고 산업 구조 변화에 따른 시장 중심주 성격의 급등 시세 종목이라면 중장기투자에서 설명한 매수법을 활용하면 큰 무리가 없다. 첫 번째로 언급한 새로운 시대가 열리며 오르는 급등주는 대부분 개별주 성향의 종목 군에서 나타나고, 두 번째로 언급한 산업 구조 변화에 따른 급등주는 대체로 시가총액이 큰 대형주 종목 군에서 나타나는 특징을 가졌다.

참고로, 필자는 하루 거래량이 10만 주 이하인 주식은 관심에서 배제한다. 2023년 상반기에 작전주 의심을 받아 뉴스에 알려진 몇몇 종목이 대표적인 사례다. 주가가 급등하더라도 거래량이 뒷받침되지 않으면 관심을 두지 않는 것이 필자의 투자법 가운데 하나다. 주가가 크게 급등하는 이유가 앞서 말한 **대 시세를 내는 종목과 부합할 경우, 바닥 대비 30% 이상 상승했더라고 추격매수를 해볼 수 있다.** 대 시세를 낸 종목의 추격매수 시 대부분 이 방법을 활용한다. 바닥에서 30% 상승했다는 건 사실 크게 오른 것이다. 주가가 횡보하다가 30% 상승하면서 양봉을 세우면 크게 상승했더라도 일단 매수하고 지켜본다. 그 이유는 대 시세를 내는 종목 대부분 이 패턴으로 흘러가기 때문이다. 필자는 경험으로 이런 흐름이 반복되었다는 걸 직관적인 감각으로 안다. 경험이 쌓여 데이터화되었다고 말할 수 있다.

주가 상승 초기에는 차트가 기술적으로 완성되지 않는다. 그래서 투자자들이 모를 수밖에 없다. 여기서 중요한 것은 주가가 기술적으로 횡보하다가 폴대(10% 이상 상승한 장대 양봉)를 그리면, 폴대 아래에서는 차트가 정배열로 펼쳐질 준비를 한다는 점이다. 이 내용은 앞에서도 소개했는데, 단기와 중기매매에서 굉장히 중요한 부분인지라 반복한다.*

수익을 내는 단기투자자 대부분 이 방법을 활용한다. 평소 횡보하던 주식의 주가가 20% 이상 상승하며 장대 양봉을 세우면 주가가 크게 올랐더라도 일단 매수하고 지켜본다. 그리고 주가가 더 오르면 추격매수에 나선다. 여기서 중요한 건 저점 대비 덜 올랐을 때 매수하는 일이다. 따라서 서둘러 주가가 오른 이유를 살펴보고 저가 매수에 집중해야 한다. 급상승 후 처음 5일선에 닿으면 전체 투자액 중 20% 정도 매수한다. **그리고 이후 5일선, 10일선이 훼손되지 않고(깨지지 않고) 주가 상승을 하면 추격매수에 나선다. 대 시세를 내는 종목은 100% 이상 상승할 때까지 10일선 아래로 내려오는 일이 거의 없다.** 그런데 10일선뿐 아니라 20일선까지 훼손하는 종목이라면 거의 대부분 대 시세를 내주지 않는다.

5일선과 10일선이 지지가 되는지 꼭 확인하고 20% 정도 매수한다. 그리고 5일선과 10일선을 이탈하지 않고 주가가 상승하면 투자금 전액 추격매수하여 물량을 확보한다. 누구도 바닥에 매수할 수는 없다. 어디가 바닥인지도 모를뿐더러 주가가 바닥에 있을 땐 그 주식이 눈에 들어오지도 않는다. 따라서 필자의 매수 방법은 대 시세를 낼 기미가 보일 때, 즉 횡보하다 20% 이상 상승해 긴 장

* 단기매매의 매수 내용 중 '양봉(폴대) 생성 후 아래에서 정배열 생성' 그림(188쪽)을 참고하기 바란다.

대 양봉을 세우면 일단 대 시세 가능성이 큰 후보로 보자는 것이다.

대 시세를 내는 종목은 절대로 30~50% 상승에 머물지 않는다. 초기 선도 세력의 계획이 있을 수도 있다. 적어도 100~300% 상승해야 대 시세를 냈다고 말할 수 있다. 물론 바닥 대비 30~50% 상승은 이미 크게 오른 상황인 만큼 당연히 리스크가 존재한다. 투자자의 희망과 달리 주가가 힘을 잃고 하락하는 일도 비일비재하다. 그런데 주식투자는 건전한 투자의 성격도 있는 반면에 투기적인 성격도 동시에 갖는다. 이럴 땐 추가매수를 멈추고 다시 대 시세를 낼 만한 종목이 나타날 때까지 시장을 지켜보며 기다리는 것이 좋다.

5일선에 닿을 때 전액 매수의 유혹을 참아내며 20%가량 매수하고, 이후 5일선과 10일선을 훼손하지 않고 지지하며 주가가 오를 때 전격 추격매수를 하는 것이 핵심이다! 말과 이론은 어렵지 않다. 쉽다. 그러나 실행이 어렵다. 왜 실행이 힘들까? 그 이유는 투자자 스스로 확신이 부족하기 때문이다. 주식이 어려운 이유는 우여곡절을 지난 후에야 비로소 대 시세라는 결과와 마주하기 때문이다. 'PART 6' 원고 첫 부분을 다시 돌아가보면, 필자 역시 주식투자로 매번 대 시세라는 놀라운 수익을 내고자 했지만, 실상 그런 경험이 아주 많지는 않다. 하지만 대 시세를 거둔 주식의 흐름, 데이터가 위와 같았다는 사실을 잘 알기에 여러분과 내용을 공유하는 것이다. 대 시세의 사례는 과거에도 많았고, 앞으로도 반복해서 계속 나타날 것이다. 주식시장이 문을 닫지 않고 열려 있다는 가정 아래에서 말이다.

시대 공부, 흐름 파악을 강조하는 필자 역시 틈틈이 많은 책을 읽으며 투자에 참고할 만한 내용이 있는지 살핀다. 그런데 필자가 아는 한, 세상 어디에도 위와 같은 내용을 소개하거나 언급한 주식 책은 없었다. 이에 필자가 수십년 실전투자에서 경험한 이야기를 공유한다. 아무쪼록 투자자 여러분에게 도움이 되는 이야기라고 믿어 의심치 않는다.

한편, 대 시세를 내는 종목이 절대로 될 수 없는 조건이 있다. 반복해서 강조하는 내용이지만, 전환사채(CB)나 신주인수권부사채(BW) 발행이 빈번한 기업, 유무상증자로 인해 물량이 많은 기업의 주식은 절대 대 시세를 내줄 수 없다. 이런 기업의 주식은 관심 밖에 두고 투자 대상에서 제외하는 것이 좋다.

2. 대 시세를 내는 종목의 매도

대 시세를 내는 종목을 저렴할 때 사서 보유했다는 건 비유하자면, 로또와 같은 행운을 만난 것과 마찬가지다. 그러나 아무리 큰 복주머니가 옆에 있어도 내 것으로 만들지 못한다면 '말짱 도루묵'이다. 매도를 잘해서 현금화해야 비로소 나의 돈이고, 대박의 기쁨도 누릴 수 있다. 대 시세를 내는 종목은 일정 부분 상승하면 시장의 주목을 받게 마련이다. 눈에 잘 띄니까 그렇다.

바닥 대비 50% 이상 오르면 벌써 해당 종목은 상승률 상위에 오르며 수많은 투자자의 관심 종목이 된다. 그리고 주가가 오르는 이유가 합당하다고 검증되면 매수세가 계속해서 흘러들어온다. 대부분의 대 시세 급등 종목은 **'정보의 지연반응 효과' 이론으로 설명 가능한, '상승의 타당성이 시장에 확산'되면서 추가적인 매수세 유입이 큰 상승의 원인 중 하나가 된다.** 보유자는 수익 실현을 하고 싶은 욕구가 강하겠지만, 더 참고 기다리다가 기술적으로 데드크로스가 나타날 때 전량 매도하면 된다.

계속 강조해도 지나침 없는 '정보의 지연반응 효과'

주식시장에서는 '정보의 지연반응 효과' 이론이 적용되는 상황이 종종 나타난다. 필자의 전작《평생 부자로 사는 주식투자》로 인해 잘 알려진 내용이니까 간략히 소개한다. 시장에 큰 영향을 주는 중요한 정보(호재 또는 악재)가 공개되면 주가에도 큰 영향을 줌으로써 가격이 오르거나 내린다. 그런데 그 영향이 하루에 끝나지 않고 정보, 뉴스의 파급으로 최소 며칠 동안 이어진다는 논리다. 이는 현재 나타난 주가에 시장의 모든 정보가 포함되어 있다고 설명하는 '유진 파마(Eugene Fama)'의 '효율적 시장가설(Efficient Market Hypothesis, EMH)'에 대한 반박이자 반론이다.

'정보의 지연반응 효과' 이론의 적용 사례는 무수히 많다. 대표적인 사례 하나만 소개한다. 전기차 1등 기업 테슬라는 2020년 12월 S&P500 지수에 편입되었다. 이 뉴스가 나오기 전부터 테슬라의 주가는 오르기 시작했고, 실제로 S&P500 지수에 편입된 이후에도 꾸준히 주가가 상승했다. 테슬라 주가의 상승뿐 아니라, 이 기업에 부품을 납품하는 국내 기업의 주가도 함께 오르는 등 시장에 정보가 공개된 이후에도 긴 시간 주가 상승을 만들어냈다. 말 그대로 한번 오픈된 정보일지라도 그 효과가 지연되며 추가로 시장에 영향을 미친다. '정보의 지연반응 효과'는 호재뿐 아니라, 악재가 시장에 공개될 때에도 똑같이 지속해서 영향을 미쳐 주가 하락을 만들어낸다. 주가 하락을 이끄는 악재가 터지면 그 영향이 하루에 머물지 않고 며칠간 지속되는 것이다.

투자자는 이런 효과를 자산의 실전 투자에서 활용할 수 있어야 한다. 참고로 '정보의 지연반응 효과'와 관련한 더욱 상세한 이야기는 필자의 전작 《평생 부자로 사는 주식투자》 159~167쪽을 참고하기 바란다. 위의 테슬라 사례도 전작에서 소개한 내용을 재인용했음을 밝힌다.

3. 대 시세를 낸 종목의 분류와 재배치

대 시세를 낸 종목을 분류하면 크게 두 가지 유형으로 나눌 수 있다. 하나는 대선 테마주나 바이오, 제약주 가운데 신약개발 등의 호재를 재료로 하는 '개별주 성향의 급등주'다. 두 번째는 반도체, 2차 전지와 같은 '시대 중심주 성향의 급등주'다.

1) 대선 테마주, 코로나 테마주 등 개별주 성향의 급등주

첫 번째 유형의 급등주를 간략히 알아보자. 데드크로스가 발생하여 운 좋게 고점에서 매도했다면 절대로 재매수를 하면 안 된다. 대 시세를 낸 종목 대부분 단기간에 재급등하는 경우가 거의 없다.

되도록 고점에서 매도하고 가격이 조금 떨어졌더라도 다시 매수하지 않는다는 걸 꼭 명심해야 한다.

위 내용을 잘 보여준 사례 하나만 소개하겠다. 주인공은 바로 셀트리온(068270)이다. 셀트리온 역시 대 시세 이후 크게 하락함으로써 지금도 많은 투자자가 기억하는 주식이다. 어떤 투자자는 큰 돈을 벌기도 했지만, 거꾸로 어떤 투자자는 어마어마한 손실을 본 주식이기도 하다. 셀트리온은 2020년 12월 초 최고점 389,000원까지 올랐지만, 2023년 9월 하순 가격은 최고가 대비 3분의 1 수준인 13만 원대 후반에 머물렀다. 하락하지 않고 영원히 오르는 주식은 세상에 없다. 최고점을 확인했다면, 그 최고점을 다시 넘어설 때까지 기다리지 말고 매도해야 상책이다. 물론 언젠가는 최고점을 다시 넘는 주식도 있겠지만, 그때가 언제일지 아무도 모른다. 매도하지 못했다면 의도치 않게 장기투자가 될 수 있다. 물론 남들이 알아주지 않는 마음고생도 각오해야 한다. **한 차례 대 시세를 낸 종목은 단기간 안에 또다시 절대로 대 시세를 내주지 않는다.** 새로운 이슈와 재료, 에너지가 충분히 축적되어 또다시 대 시세(큰 수익)를 내려면 오랜 시간이 필요하기 때문이다.

2) 2차전지, AI, 반도체 등 시대 중심주 성향의 급등주

2023년에는 2차전지, AI로봇 등의 시대 중심주가 시장을 이끌며 급등했다. 역시 고점에서 데드크로스가 발생해 매도했다면 시장을 잘 살피고 해당 주식이 앞으로 더 성장, 발전할 것으로 판단이 선다면, **이동평균선 20일선, 60일선, 120일선 정도에서 재매수를 고려해볼 만하다.** 간혹 되반등(재상승)을 실시해 전 고점을 뛰어넘는 상승세를 보이는 종목도 여럿 있다.

비록 간략한 설명이지만 투자에 매우 중요한 이야기라는 점을 강조하고 싶다. 따라서 위 내용을 잘 숙지하여 여러분의 매매에 적극 활용하기 바란다. 그래서 이 책을 읽는 모든 독자 여러분이 대시세, 큰 수익을 만들어 기쁨을 누려보시기를 진심으로 기원한다.

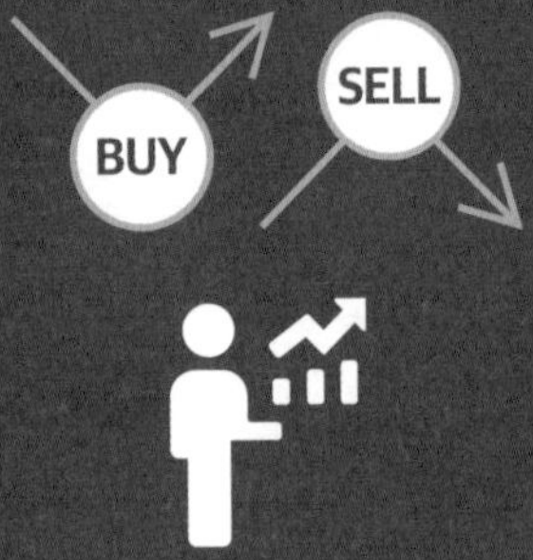
BUY
SELL

A PROFITABLE

PART 6

주식투자로 수익을 내는 마지막 퍼즐

STOCK INVESTMENT

Intro

주식투자로 수익을 내는 마지막 퍼즐

필자가 이 책을 선택한 독자 여러분과 공유하고 싶은 마지막 내용은 '실패', '실수' 이야기다. 실패나 반복하는 큰 실수에는 반드시 그 결과를 만들어낸 원인이 있다. 지금도 수많은 투자자가 하지 말아야 할 선택으로 뼈아픈 실패를 경험한다. 바로 그 이야기다. 그런데 고민이 많았다. '실패, 실수'라는 단어를 앞세우면 부정적인 느낌이 들어 망설여졌다. 고심 끝에 필자는 '주식투자로 수익을 내는 마지막 퍼즐'이라는 제목을 달았다.

'PART 6'의 내용은 주식투자로 성공하려면 꼭 지키고 기억해야 할 주식투자의 '화룡점정(畵龍點睛)'이라고 생각한다. 실패라는 말 대신 이를 거꾸로 생각해 '필패를 막으면 성공'할 수 있다고 믿는다. 주식투자에서 필패하는 첫 번째 이유는 잘못된 매수다. 꼼꼼히 분석하지 않고 덜컥 사고 보니 가격이 너무 높거나, 바닥인 줄 알았는데 주가가 지하실로 곤두박질치는 매수가 대표적이다. 필패하는 두 번째 이유는 '손절'을 두려워하기 때문이다. 손절의 중요성은 책의 서문에서도 말했다. 필자가 주식투자를 시작하며 지켜온 원칙 중 하나가 손절이다. 누구나 그렇겠지만 손절은 늘 마음 아프다.

그 밖에 주식투자로 필패하는 원인은 불공정 행위에 연루된 주식을 매수하는 일이다. 또 2023년 들어 부쩍 화두로 떠오른 미국의 밈(MEME) 주식, 한국 시장의 포모(FOMO) 증후군에 대한 필자의 생각을 정리해서 소개한다.

Chapter 1

잘못된 매수가 필패 원인

먼저 소개할 이야기는 '가격이 높을 때 주식을 매수'하는 일이다. 그리고 '바닥권 매수' 일명 지하실 진입 이야기다. 주식투자에서 성공과 실패의 기준은 단순하다. 내가 투자한 돈으로 얼마를 벌고 또 얼마나 잃었는지가 기준이다. 수익을 냈는지, 손해를 보았는지가 기준이다. 책의 서두에 주식투자로 수익이 나는 방법은 두 가지라고 밝혔다. '배당'과 '시세차익'이다. 투자자의 오판으로 인한 고점매수는 절대로 대 시세를 만들 수 없다.

1. 가격이 높을 때 매수

시세차익을 얻기 위해 투자했건만 결과적으로 주가가 떨어지면 손실이 발생한다. 그런데 고심 끝에 내가 골라 매수한 종목이 매번 하락하면 주식투자로 돈을 벌기는커녕 손해만 커진다. 따라서 실패하는 경우를 최대한 피하고 극복하면 주식투자로 성공할 수 있다고 본다. 주식투자 필패의 첫 번째 원인은 뭘까? 가격이 높을 때 매수하기 때문이다. 대체로 주식가격이 높게 형성되는 시기에는 해당 종목의 장밋빛 비전, 호재성 뉴스로 그 주식이 마냥 좋아 보이게 마련이다. 투자자가 매수하려는 종목은 투자자 눈에 좋고 긍정적인 부분만 보인다. 그리고 강력한 매수의 유혹을 느낀다. 하지만 투자자를 유혹하는 호재성 뉴스나 상승 재료는 이미 반영되어(선반영) 높은 가격이 형성되었다고 보면 된다. 신규 투자자는 이 사실을 망각하기가 쉽다.

복잡 미묘하지만 사실 주식가격은 간단하다. 호재가 모두 반영되면 주가가 더 오르지 않는다. 거꾸로 부정적인 악재가 모두 반영되면 하락을 멈추고 상승 전환한다. 가격이 너무 오른 종목을 매수했는데 추가로 상승하지 못한다면 당연히 손실로 이어진다. 현재의 주가가 높고 낮은 기준은 종목에 따라 다르지만 차트, 즉 이동평균선으로 간단히 확인할 수 있다.

2. 바닥권 매수(지하실 진입)

주식투자를 실패로 이끄는 또 하나의 원인은 바닥권 매수만 노리다 손해를 보는 투자다. 유명한 주식 격언 중 '주가의 꼭지와 바닥은 아무도 모른다'라는 말을 떠올려보자. 나름대로 열심히 분석도 하고 차트도 살펴본 후 '이 정도 하락했으면 바닥이겠지'라는 생각이 들어 매수했지만, 주가가 지하실로 떨어지는 경험을 다들 해보았을 것이다. 이런 분들이 부지기수다.

부자가 되는 주식투자 상식 ⑬

주가를 급락시키는 주요 원인

평소에는 정상적인 가격에 머물러 있다가 주가가 크게 떨어지는 요인이 있다. 우리가 너무 잘 아는 이야기지만, 몇 가지를 간략히 정리한다.

개별종목 주가가 급락하는 요인

① 시장 전체에 하락 요인이 발생할 때

② 해당 종목의 실적 악화(분기, 결산기 실적)

③ 물량 출회(대주주 매도, CB/BW, 유·무상증자 물량 출회)

④ 공급계약 파기

⑤ 오너 리스크(owner risk) 발생(분식회계, 배임, 횡령 사건 등 발생)

주가가 크게 상승하도록 견인하는 요인은 딱 하나다. 기업이 돈을 잘 벌어들일 거라는 소식이 전부다. 그러나 멀쩡한 주가를 하락시키는 원인은 위처럼 다양하고 여러 가지다. 만약 위와 같은 정보를 접했다면 매수를 멈추고 부정적인 노이즈가 희석될 때까지 기다려야 한다.

주가가 하락할 땐 손실에 추가 손실이 더해져 당황스러운 정도를 넘어 투자자 입장에서는 멘붕이 오기도 한다. 그렇게 하염없이 하락하는 주가를 눈으로 지켜보며 절망에 빠지는 경험도 한두 번은 있을 것 같다.

필자의 투자 철학 가운데 중요하게 생각하는 기준이 있다. '최악은 피하자'라는 말이다. 모두 잃으면 재기가 어렵다는 걸 잘 알기에 애당초 최악의 상황을 만들지 않는 것이 중요하다. 결국, 시장이 우호적이지 않거나 비관적인 방향으로 흘러간다면 아무리 바닥이라는 생각이 들더라도 일단 투자를 멈추고 관망하는 자세를 취하자. 벌써 몇 차례 강조한 이야기다. 바닥이라는 생각이 들더라도 선불리 매수하지 말아야 한다.

너무나 유명한 이야기 '바닥 아래 나도 몰랐던 지하실'이 있다. 수익이 덜 나더라도 바닥에서 상승하며 턴하는 걸 확인하고 매수해야 한다.

Chapter 2

'손절'을 망설이거나 두려워 마라

사람과의 관계에서 '손절'은 앞으로 두 번 다시 안 보고 살겠다는 뜻이다. 충분히 그럴 수 있다. 누군가를 안 보고 살아도 나에게 피해가 없다면 그만이다. 하지만 주식투자에서의 '손절'은 '손실을 확정 짓는 매도'다. 투자자들이 종종 하는 이야기 중 '주가는 신도 알 수 없는 영역이다'라는 말을 들어보았을 것이다. 세상 이치를 다 꿰뚫고 계신 신께서 심심풀이 놀이 삼아 주식 판에 뛰어들었다면 아마 얼마 후엔 인간들이 자신을 부르는 호칭 '신(神)'이라는 명함을 내려놓을지 말지를 고민하지 않을까 싶다. 그만큼 주가는 신도 모를 만큼 항상 요동치고 변동성도 크다. 주가는 누구도 고점이나 저점을 알 수 없다. 모든 투자자가 자신이 매수하는 주가가 하락할 걸 예상하고 주식을 신규로 매수하지는 않는다(공매도 투자는 제외다).

마이너스 5% 손절률 원칙을 만들어 지키기

주식가격이 올라갈 수도 있고 떨어질 수도 있다는 걸 모르는 투자자는 없다. 그런데 투자자 대부분은 자신이 투자한 종목의 주가가 하락하면 크게 당황한다. 내 주식이 곧 상승할 거라는 부푼 꿈은 정작 주가가 하락 전환하면 큰 실망으로 바뀐다. 수익이 크게 난 계좌를 수익 실현 매도를 못 한 채, 손실로 바뀌어 파랗게 변하면 상실감 때문에 잠도 이루지 못한다. 우리는 주식투자로 돈을 벌겠다는 마음과 함께 상황에 따라 손절을 두려워하지 않겠다는 다짐도 함께 새겨두어야 한다.

사실 '손절'은 생각보다 훨씬 실행하기 어렵다. 종잣돈을 마련하고자 오랜 시간 마음고생 몸고생을 했는데, 힘겹게 마련한 투자금인데, 행복한 삶을 만들어줄 소중하고 귀한 내 돈인데 등등 모든 돈에는 사연이 있다. 부자가 되겠다는 꿈으로 주식투자를 시작했는데, 큰 손해를 보고 매도하려면 마음이 아리고 정신적 충격도 클 수밖에 없다. 하지만 위에서 나열한 마음을 다시 헤아려 냉정함을 유지해야 한다. 재기 불능의 상황으로 내몰리면 절대 안 된다.

변동성이 큰 개별주 장세에서는 오전에 -10%에서 오후에 +20% 상승하는 종목도 있다. 반대로 장 전반에 상한가를 기록했다가 장 후반 마이너스로 하락하는 종목도 무수히 많다. 필자는 되도록 -3%가 되면 일단 매도한다. 떨어진 주가가 다시 올라갈 거라고 예상되더라도 일단 손절하고 재매수하는 투자 전략을 쓴 지 오래되었다. 일반적으로 -5% 손절률을 정해두고 지키기를 권한다. -5%에 매도했는데 -10%까지 떨어졌다가 급등세로 전환했다고 절대 아쉬워하면 안 된다.

혹시 손절이 되풀이되는 상황이 몇 차례 반복된다면, 똑같은 실수를 반복하지 않기 위하여 이후 신규 매수에 나설 때 매수 종목의 매수가를 더 정확히 예측해서 매수한다. 그렇게 함으로써 큰 수익을 내는 실력 있는 투자자로 거듭날 수 있다. 때때로 필자는 계좌를 모두 비워두기도 한다. 2008년 미국 금융위기 때, 2020년 코로나 팬데믹이 확산되던 3월 초의 손절 결정이 대표적이다. 당시 필자는 보유한 모든 주식을 시장가로 매도했다. 당연히 큰 손절이라 마음 아프고 속도 상했지만, 오랜 투자 경험상 현금만 확보하고 있으면 더 큰 수익 창출의 기회가 반드시 찾아올 거라고 믿었다. 그래서 과감한 손절을 결정할 수 있었다. 큰 손절을 겪었지만, 결과적으로 손실액의 10배 이상 수익 실현을 했다. 그것도 생각보다 이른 시간 안에 말이다.

작은 실패를 교정해 자신만의 주식투자 방법으로 만들면 평생 돈 벌어 성공하는 주식투자자로 살 수 있다. 작은 손절을 절대 두려워하면 안 된다. 예컨대 **-5% 손절을 세 차례 경험한 상황이라면 일단 신규 매수를 멈추자. 그리고 무엇이 잘못되었는지 스스로 분석, 반성하는 시간을 가져야 한다. -5% 손절을 다섯 차례 반복한 투자자라면 기초부터 다시 공부해야 한다.** 냉정히 말해 주식투자에서 손을 떼는 것이 더 좋은 판단일 수도 있다. 잘못을 교정하지 않는 투자로는 절대 수익을 낼 수 없다. 교정하지 않고 잘못을 계속 반복하는 투자는 그저 말만 투자일 뿐 '밑 빠진 독에 물 붓기'와 같다. 누구나 할 수 있는 주식투자지만 모든 투자자가 돈을 버는 건 절대 아니다.

Chapter 3

불공정 행위에 연루된 주식도 날벼락 맞는다

2023년 4월 24일 삼천리, 대성홀딩스, 선광, 세방, 다우데이터 등 무려 8개 종목이 하한가로 떨어졌다. 상·하한선 제한폭이 30%로 확대된 후 상한가까지 상승하는 종목은 몇 개씩 있었지만, 여러 종목이 하한가로 장을 마감하는 경우는 드문 일이다. 더군다나 하루에 무려 8개 종목이 하한가로 떨어진 당시 상황은 이례적이고 놀라운 일이었다. 많은 투자자의 이목을 끌며 경제 뉴스 머리기사를 장식할 정도였다. 그 이야기를 소개한다.

선량한 투자자를 노리는 주식시장의 사기꾼들

8개 하한가 종목 중 하나인 대성홀딩스의 주가 흐름은 다음 페이지에 제시한 자료와 같다.

대성을 비롯한 8개 종목은 공통적으로 첫날 하한가 잔량이 너무 많이 쌓여 있어 저가 매수에 나설 수도 없는 상황이었다. 이후 몇 개 종목은 3~4일간 추가로 하한가를 기록하며 폭락하기 이전 대비 -80%까지 주가가 크게 떨어졌다. 일명 SG증권 발(發) CFD* 공매도 주가조작 사건이다.

| 대성홀딩스 주가 흐름 |

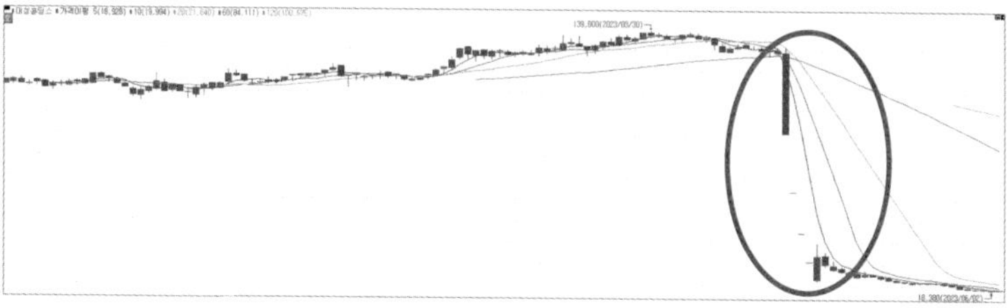

2개월이 지난 후 5개 종목이 같은 이유로 하한가까지 떨어졌고, 긴급 조치가 발동되어 해당 종목은 거래정지를 당했다.

| CFD 공매도 주가 흐름(골드앤에스) |

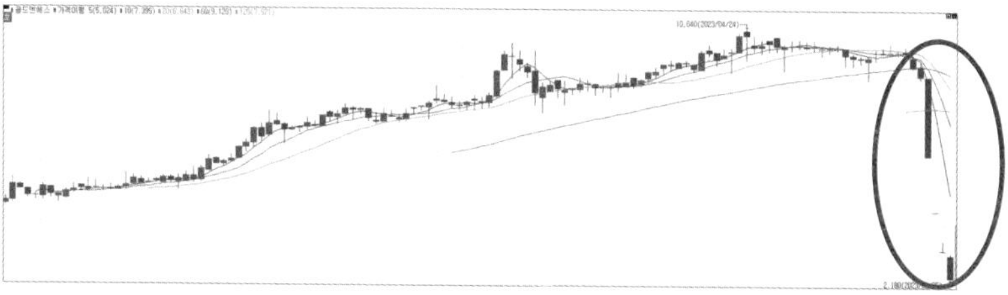

주가조작에 연루된 기업인 줄 모르고 투자에 나선 선량한 일반 투자자는 엄청난 손실에 망연자실했다. SNS를 이용한 정보 취득이 손쉬운 오늘날 SNS를 이용한 불법 주식 리딩방, 가짜 정보제공자, 주식투자 사기꾼들이 넘쳐난다. 주식투자로 내 계좌를 불려주

* CFD(Contract For Difference)란 공매도 형태로 현물 주식을 보유하지 않은 상태에서 주식의 진입가격과 청산가격 사이의 차액을 현금으로 결제하는 상품을 일컫는다.

는 타인은 세상에 없다. 본인 계좌는 투자자 본인만 불릴 수 있다는 걸 꼭 명심하기 바란다.

책을 쓸 기회를 빌려서 이참에 꼭 밝히고 싶은 이야기가 하나 있다. 안타깝게도 필자 이름과 사진을 사칭, 도용한 사기꾼이 시장에 참 많다. 분명히 말하지만, 필자는 유료로 운영하는 채널이나 주식 리딩방에 관심이 없을뿐더러 일절 관여한 바도 없다. 때때로 필자의 지인이 연락을 해와서는 '이런저런 불법 채널을 보았다'고 말해주곤 한다. 한번은 필자도 모르는 투자금을 당장 입금할 테니 계좌번호를 알려달라고 말하는 지인도 있었다. 그 밖에도 필자가 건너건너 전해들은 불법, 말도 안 되고 어이없는 소식을 듣고 있자니 사태가 심각하다는 걸 깨닫는다.

이후부터는 공개적으로 말할 기회가 있을 때마다 필자를 사칭한 거짓 투자자, 사기꾼을 조심하라는 말을 꼭 해드린다. 필자는 그저 37년간 주식을 하며 깨달은 투자법 또는 많은 투자자에게 도움이 될 이야기를 책으로 전달, 공유하는 것에 만족한다. 오직 그뿐이다. 가끔 유튜브 채널에 출연하여 시장 상황이나 분위기를 전달하는 일이 그나마 필자가 공개적으로 대중과 만나는 일의 전부다. 모쪼록 필자를 사칭한 사기꾼에게 현혹되는 일이 없기를 바라는 마음에서 몇 마디 적어보았다.

Chapter 4

미국 밈(MEME) 주식과 한국 포모(FOMO) 증후군

2020년 코로나 대유행 이후 온라인에서는 미국, 한국 주식 구별 없이 투자하는 투자자들이 많이 늘어났다. 미국 주식시장의 영향이 절대적인 한국 주식시장은 애플, 테슬라, 앤비디아와 같은 종목의 상승이나 하락에 따라 관련주의 상승과 하락이 이어지는 일이 당연하다고 여길 정도가 되었다. 미국 주식시장에서 밈 주식 투자 열풍과 한국 주식시장의 포모 증후군 현상으로 나타나는 특정 종목에서의 쏠림 현상이 서로 유사한 부분이 있어 이를 살펴보는 것도 유익할 것으로 생각한다. 한편으로는 주식투자자라면 특별히 더 점검, 분석하고 살펴봐야 할 내용이 많아졌다고 보면 되겠다. 이래저래 공부할 것이 참 많은 일이 주식투자다.

1. 밈(MEME)* 주식

밈 주식은 온라인에서 입소문을 타고 개인 투자자의 눈길을 끌어 투자자가 쏠리는 주식을 뜻하는 신조어다. 대표적인 밈 주식으로 게임스탑(GME), AMC엔터테인먼트(AMC), 베드배스앤드비욘드(BBBY) 등이 있는데, 실상 게임스탑(GME)이 밈 주식의 시초라고

* 영국의 생물학자 리처드 도킨스가 자신의 베스트셀러《이기적 유전자》를 통해 만들어낸 개념이다. 주식시장에서 밈 주식은 즉 유전자 같은 중간 매개물이 필요한데 이 역할을 하는 정보 형식이 밈이다. 모방을 의미하는 그리스어 미메메(Mimeme)를 참고해 만든 용어다.

할 수 있다.

2021년 1월 개인 투자자들이 대형 헤지펀드의 투기성 공매도에 대항한 결과 공매도 세력이 26조 원의 손실을 본 사건이 있었다. 바로 게임스탑(GME) 사태다. 당시 개인 투자자들은 게임스탑 주식을 대량으로 매수하여 주가를 크게 올렸놓았다. 이에 투기성 공매도 세력과 기관에 엄청난 손실을 미쳤다. 게임스탑 사태를 시작으로 미국 투자자들은 공매도 비중이 높은 종목을 타깃으로 삼아 공매도 기관과의 전쟁을 벌였다. 위에서 말한 'AMC엔터테인먼트', '베드배스앤드비욘드(BBBY)'** 내셔널 베버리지 등이 대표적인 밈 주식에 해당한다.

밈 주식은 기업의 펀더멘탈과 무관하게 개인 투자자들의 입소문, SNS 홍보로 매수와 매도 주문이 몰리는 특징을 갖는다. 그래서 주가가 급격하게 변하는 이유나 원인을 정확히 알 수 없다. 따라서 밈 주식에 관심이 있거나 투자하려는 분은 더욱 각별한 주의가 필요하다.

** 개인 투자자의 쏠림 현상이 심했던 베드배스앤드비욘드는 2023년 4월 파산보호신청을 했다. 이처럼 밈 주식 대부분은 열풍이 끝나면 곧바로 주가가 하락한다. 가격이 높을 때 매도하지 못한 많은 투자자가 큰 손실을 떠안을 수 있다.

2. 포모(FOME)* 증후군

에코프로는 2023년 1월 중순만 해도 주가가 10만~11만 원 선이었다. 그러다 2차전지 쏠림 현상에 힘입어 2023년 7월 하순 장중 150만 원대까지 급등했다. 6개월 만에 10배(1,000%) 이상 상승했다는 내용은 앞에서도 소개했다. 이 주식에 대한 비전과 희망에 필자도 동의한다. 그런데 에코프로 주식을 매수하지 않으면 소외될 거라는 투자자의 심리가 시장에 팽배했었다. 2023년 초부터 8월까지 에코프로 외에도 금양, POSCO홀딩스 등 몇몇 종목의 쏠림 현상이 심하기도 했다. 그리고 특정 테마(초전도체)에서 초급등 현상이 나타나기도 했다. **초기에 매수하지 못한 투자자는 수익의 소외감에서 벗어나고자 위험한 추격매수에 나서는 모습을 보였다. 바로 이런 모습이 포모 증후군이다.**

주식시장에서는 특정 종목이 크게 올랐음에도 고점 추격매수가 흔히 벌어진다. 그래서 고점 추격매수 결정이 일부 투자자가 보기엔 자연스럽게 느껴질 수도 있다. 하지만 자칫 큰 투자 손실로 이어질 수 있기 때문에 매우 걱정스럽다. 아무리 좋은 주식도 고점에서 매수하면 리스크가 클 수밖에 없다. 추가 상승을 기대하고 고점

* 왠지 나만 몰라 소외될 거라는 두려움(Fear Of Missing Out)의 영어 약자다. 세상 흐름에 동참하지 않아 고립될 수 있다는 공포를 의미한다.

매수에 나섰지만, 예상과 달리 주가가 하락 또는 조정을 받는다면 큰 손실이 불가피하다.

내용이 조금 낯설 수도 있겠지만. 위에서 정리한 밈 주식, 포모 증후군, 알고리즘 매매 이야기를 숙지할 필요가 있어 보인다. 결론만 말하자면 투자자 스스로 주의하고 점검하는 수밖에 없다. 주변에서 들리는 확인되지 않은 이야기들은 대부분 믿기 힘들다. 투자자를 현혹하는 낭설과 거짓이 무수하다. 선량한 일반 투자자는 더 주의하고 조심해야 한다.

'알고리즘'이 테마주 주가 급락의 배후!

알고리즘 매매(트레이딩)도 참고로 알아두면 좋을 듯해 간략히 정리한다. 알고리즘 매매란 투자자가 매매 조건(매매가, 매수 및 매도 물량, 수량, 가격 등)을 직접 설정해 시스템에 저장하고 이후 주식시장에서 이 조건에 부합한 상황이 되면 자동으로 거래가 이루어지는 매매다. 기관투자의 경우 매수, 매도 포지션이 노출되지 않아 정보가 유출되지 않는다는 장점이 있다. 하지만 반복된 알고리즘 매매가 한 방향으로 쏠리면 해당 종목의 주가가 빠르게 오르거나 내리는 등의 부작용이 벌어질 수 있다는 것이 알고리즘 매매의 단점으로 지적되기도 한다.

일례로 2023년 8월 9일 <머니투데이> 증권 뉴스의 제목(20분 만에 '개미지옥'… 초전도체주 급락 배후는 '알고리즘'?)이 눈길을 끌었다.* 기사의 요점은 시장의 관심을 끌어 크게 상승한 초전도체 관련주들의 주가 하락이 시장의 자연스러운 매매 결과가 아닐 수 있다는 분석이었다. 즉 초전도체 테마주에 알고리즘 매매가 개입하여 주가가 급락한 가능성이 있다는 모 증권사의 분석을 기사화한 것이다. 미국 응집물리이론센터의 발표 'LK-99는 초전도체가 아니다'라는 이야기가

* 2023년 8월 9일 〈머니투데이〉 기사를 참고하기 바란다(news.mt.co.kr/mtview.php?no=2023080909333322716)

초전도체 군 주가 하락을 이끈 원인이지만, 기사에 따르면 초전도체 관련주의 주가 조정과 거래량 증가가 겨우 20분 만에 모두 마무리되어 큰 하락을 이끈 것이 석연찮다고 말한다. 알고리즘 매매가 개입한 것 같다는 의심을 부를 만하다.

초전도체 주식뿐만 아니라 이와 비슷한 사례가 최근 시장에서 벌어지는 중이다. 선량한 투자자의 각별한 주의가 필요해 보인다. 2023년 7월 말 리튬 관련주의 급등락, 계열사 합병 이슈로 시장에 주목을 받은 셀트리온 3사의 급등락도 알고리즘 매매 의심 정황이 있다. 그 밖에 HD현대인프라코어, HD현대건설기계 급등락 사례도 석연찮다는 분석을 본 적이 있다. 결론적으로 알고리즘 매매는 시장을 왜곡시킨다. 그런데 알고리즘 매매의 더 큰 심각성은 정황상 의심만 할 뿐 실체를 파악하기 힘들다는 점이다. 세상이 복잡하게 돌아갈수록 주식시장도 점점 복잡해지는 것 같다.

나가는 글

주식투자를 시작한 지 37년 세월이 흘렀습니다. 전업투자의 길로 들어선 지도 23년이나 지났습니다. 젊은 시절부터 한평생 주식투자를 해오며 새삼 깨닫는 일은 '주식투자가 어렵다'는 것입니다. 그러나 가능성이 없는 건 아닙니다. 오히려 과거보다 투자환경은 훨씬 좋아졌고 성공 확률도 그만큼 높아졌다고 생각합니다.

필자 인생의 마지막 주식투자 책이라고 생각하며 책을 썼습니다. 나름대로 최선을 다해 정리, 서술했지만 솔직히 실전 투자에 적용할 매매법 이야기는 한계가 있었습니다. 단순히 글로 설명하기에는 어려운 부분이 많았습니다. 특히 단기 트레이딩 부분은 더 쉽게 설명하기가 어렵다는 생각이 들어 여전히 아쉬움이 남습니다. 그러나 한번 읽고 잊거나 지나치지 말고 여러분의 투자에서 매 순간 고민할 때 책을 참고하면 어느 정도 도움이 될 것이라고 생각합니다. 포기하지 말고 큰 수익을 만들겠다는 마음가짐으로 주식투자를 해보시기 바랍니다. 쉽지는 않아도 불가능한 일이 결코 아닙니다.

늘 풀리지 않는 문제를 고민하면서 해결책을 모색하다 보면 꼭꼭 숨어 있던 정답이 거짓말처럼 보이기도 합니다. 그러나 고민하지 않고 공부를 외면하면 절대 그런 경험을 할 수 없다는 것도 전하고 싶은 이야기 중 하나입니다. 독자 여러분도 그런 경험을 통해 큰 시세차익, 대 시세를 만들 수 있을 거라고 믿습니다. 저 역시 흙수저로 태어나 오로지 주식투자로 이 자리까지 왔습니다. 여러 면에서 여러분보다 부족한 필자를 보며 가능성, 꿈, 용기를 잃지 마시기 바랍니다.

이 책의 모든 독자, 투자자가 주식투자 독립을 이루고, 나아가 경제적 자유를 누리는 데 조금이나마 도움이 되기를 바랍니다. 그런 희망을 간직한 채 원고를 마무리합니다. 모쪼록 모든 투자자가 건승하시기를 진심으로 기원합니다.

우담 남석관 올림

손실 없는 투자원칙

초판 1쇄 발행 2023년 10월 30일
초판 6쇄 발행 2024년 1월 10일

지은이 남석관
발행인 손선경
펴낸곳 모루북스

표지디자인 김윤남
본문디자인 김혜림
인쇄·제본 영신사
종이 다올페이퍼

출판등록 2020년 3월 17일 제25100-2020-000019호
주소 서울 중구 남대문로 9길 24 패스트파이브 타워 1026-3호
전화 (02)3494-2945 | **팩스** (02)6229-2945
ISBN 979-11-982077-0-8 05323